COLLECTION MONDE NOIR POCHE

sous la direction de Jacques Chevrier
avec la collaboration de Paul Désalmand

Anthologie africaine d'expression française

Volume II : La poésie

JACQUES CHEVRIER

Du même auteur

- *Littérature Nègre* : Afrique, Antilles, Madagascar, Paris, Armand Colin, 1974. (Ouvrage couronné par l'Académie Française.) Nouvelle édition en 1984.

- *Le Mali*, collection « Découvrir », « Beautés du monde », Paris, Larousse, 1980.

- *Anthologie africaine*, vol. I, romans et nouvelles, Paris, Hatier, collection « Monde noir poche », 1981.

- *L'Arbre à palabres*, essai sur les contes et récits traditionnels d'Afrique noire, Paris, Hatier, 1986.

- *Littérature africaine*, Histoire et grands thèmes, Paris, Hatier, 1987.

- *Étude critique : Une vie de boy*, de Ferdinand Oyono, Paris, Hatier, collection « Profil d'une œuvre », 1977.

- Rédaction du chapitre *L'Afrique Noire* dans le *Guide culturel*, Civilisation et Littératures d'expression française, Paris, Hachette, 1977.

- Rédaction du chapitre *Littérature de la Négritude* dans l'encyclopédie *Les Grands Écrivains du monde*, Paris, Nathan, 1979.

- Contribution *Littératures africaines contemporaines* dans le *Dictionnaire des Littératures*, Paris, Librairie Larousse, 1985.

© HATIER-PARIS SEPTEMBRE 1988
Reproduction interdite sous peine de poursuites judiciaires
ISBN 2 - 218 - 0 1876 - 4

« *Elle croyait que lorsque des poèmes étaient écrits dans un pays donné, très vite ils se répandaient ailleurs, propulsés par leur seule évidence, leur seule existence, au-delà des distances, des ciels, des mers, des continents, des régimes politiques, des interdits.*

Elle était quelqu'un qui avait tendance à croire que partout on écrivait le même poème sous des formes différentes. Qu'il n'y avait qu'un seul poème à atteindre à travers toutes les langues, toutes les civilisations. »

Marguerite Duras, *Émily L,* Éditions de Minuit.

Sommaire

III - DE LA RÉVOLTE A L'ENGAGEMENT

IV - L'INDÉPENDANCE

1. L'aube d'un jour nouveau 88

2. Le désenchantement 101

V - L'EXIL

VI - "LES ACTUALITÉS ÉTERNELLES"

Avant-propos

Cette nouvelle Anthologie présente un panorama de plus d'un demi-siècle de poésie africaine d'expression française. L'organisation de l'ouvrage a répondu à un double projet : d'une part, éclairer la production poétique par l'Histoire, en montrant en particulier l'influence du mouvement des idées et des mentalités sur la genèse de la poésie africaine, d'autre part, dégager les grands axes thématiques d'une création littéraire qui est allée en s'affirmant et en s'enrichissant depuis l'avènement des Indépendances, en 1960.

C'est dire que notre démarche relève à la fois de l'histoire littéraire, dont la connaissance est indispensable pour baliser les grandes étapes de la poésie nègre, et de l'analyse thématique, qui permet de déchiffrer et d'aménager les orientations fondamentales autour desquelles se structure l'imaginaire des poètes africains. Ainsi, à une série d'approches étroitement tributaires des turbulences politiques, économiques ou idéologiques de l'histoire africaine, viennent s'adjoindre des regroupements qui, tantôt relèvent à l'évidence du lyrisme personnel, tantôt se font l'écho de préoccupations universelles propres à la condition humaine (l'amour, le sentiment de la nature, l'angoisse devant la mort, etc.), ce que Max Jacob appelait les « actualités éternelles ».

Afin de donner au lecteur une idée aussi complète que possible de la poésie africaine, nous nous sommes également efforcés d'ouvrir cette Anthologie sur le présent et la modernité. Aux côtés des textes désormais classiques des Pères fondateurs, on trouvera donc rassemblés ici bon nombre de textes écrits par leurs cadets, qui sont autant de témoignages d'une nouvelle sensibilité poétique.

Ce choix de textes ne prétend pas illustrer tous les aspects de la poésie africaine, mais c'est la loi du genre. Aussi éloignée du catalogue que de l'inventaire, cette anthologie voudrait être avant tout une invitation à la lecture et au voyage poétique.

Introduction

Naissance d'une littérature

La littérature africaine de langue française est née au début du XXe siècle, à la faveur d'une série de phénomènes qui témoignent du regain d'intérêt de l'Occident pour le monde noir : la découverte de l'art nègre par les peintres cubistes, le triomphe du rythme afro-américain, le jazz en Europe, les témoignages des ethnologues européens, Maurice Delafosse, Léo Frobenius, etc.[1], sur les modes de vie des peuples africains.

Les écrivains prennent bientôt le relais avec, en 1920, la publication par Blaise Cendrars de la première *Anthologie nègre*, tandis que dans le même temps, Guillaume Apollinaire évoque dans le poème « Zone » ses « fétiches d'Océanie et de Guinée ».

La réhabilitation des cultures africaines sera nécessaire pour que les Noirs eux-mêmes se mettent à écrire. La « littérature nègre » en langues européennes exprime la vision du monde des peuples noirs : elle se rapporte à la vie, aux événements et aux aspirations de ces derniers. Mais cette prise de conscience ne s'est pas faite en un jour. Les écrivains noirs, qui ont commencé à écrire autour des années 20[2], s'inscrivent dans une tradition d'affirmation et de réhabilitation des civilisations noires qui remonte au XIXe siècle.

- ● *De Harlem au Quartier Latin (1900-1925)*

C'est d'abord l'Amérique noire qui affirme à la face du monde l'éminente dignité des civilisations noires. « Je suis

---

1. M. Delafosse, *Les civilisations négro-africaines*, Paris, Stock, 1925.
L. Frobenius, *Histoire de la civilisation africaine*, Paris, Gallimard, 1936.
2. Dans la perspective évoquée, la première œuvre retenue généralement par les historiens est le roman *Batouala* du Guyanais René Maran (Albin Michel, 1921).

nègre, écrit en 1890, William Dubois, et je me glorifie de ce nom ; je suis fier du sang noir qui coule dans mes veines.[3] » Des écrivains noirs américains tels Langston Hughes, Claude Mac Kay, Countee Cullen, Sterling Brown, etc., se reconnaissent dans cette déclaration. Ils créent en 1918 le mouvement littéraire appelé « Négro-Renaissance ». A leurs compatriotes tentés par « l'assimilation » ou « l'intégration » dans une Amérique acquise aux préjugés de couleur, ils parlent de la « personnalité noire » à préserver à tout prix.

Auteur d'un livre retentissant intitulé *The Soul of Black People, Ames noires*, publié en 1903, W.E.B. Du Bois était à la fois un penseur et un homme d'action. Dans son ouvrage consacré à la dénonciation de la situation scandaleuse faite au Noirs des États-Unis, il démontrait en effet la nécessité d'effacer de l'esprit des Blancs - et des Noirs - l'image stéréotypée du Nègre sous-homme, et il fut également le fondateur de l'Association nationale des gens de couleur dont la revue, *The Crisis*, jeta les bases d'une action politique susceptible d'infléchir les options du gouvernement américain. « Véritable père de la Négritude », si l'on en croit Lilyan Kesteloot, W.E.B. Du Bois influença profondément Léopold Senghor et ses compagnons par l'intermédiaire de Marcus Garvey et surtout du mouvement de la négro-renaissance.

W.E.B. Du Bois fut également à l'origine des grands congrès panafricains qui, de Paris (1910) à Manchester (1945), vont militer en faveur de la reconnaissance du droit des peuples à disposer d'eux-mêmes, une idée qui fera son chemin au lendemain de la seconde guerre mondiale.

On peut constater l'émergence d'un mouvement similaire à Haïti dans le sillage de *la Revue indigène* fondée en 1927 par les écrivains haïtiens Émile Roumer, Philippe Thoby-Marcellin, Carl Brouard, Jacques Roumain, etc.

3. Cité par L. Kesteloot, *Anthologie négro-africaine*. Éditions Gérard et Cie, Collection Marabout U, Verviers (Belgique), 1981, p. 14.

Les « indigénistes » préconisent la réhabilitation des valeurs raciales, culturelles et morales héritées de l'Afrique.

L'occupation d'Haïti par les Américains en 1915 et la domination des modèles littéraires français ont longtemps entravé cette volonté de résurgence culturelle. En livrant les résultats de ses recherches sur les traditions locales, dans son ouvrage *Ainsi parla l'oncle* (1928), l'anthropologue haïtien Jean Price-Mars propose une nouvelle source d'inspiration à la littérature. L'écrivain haïtien découvre ainsi la splendeur d'une civilisation authentique fondée sur le double héritage africain et caraïbéen.

Après les États-Unis et Haïti, la réflexion sur le fondement des civilisations noires se poursuit en France. Entre 1925 et 1935, on rencontre à Paris quelques représentants des mouvements culturels nègres venus d'Outre-Atlantique : Langston Hughes, Claude Mac Kay, Carl Brouard, Oswald Durant... Mais ce sont principalement les Antillais et les Africains établis dans la capitale française qui ont l'initiative du dialogue avec l'ensemble de la diaspora.

• *L'étape parisienne (1925-1935)*

Promue capitale littéraire du monde, Paris devient le creuset d'une nouvelle culture largement ouverte aux influences extérieures : « Ville ouverte, dit Léon-Gontran Damas, où nous rencontrions toutes sortes de personnes et notamment des Noirs américains de toutes les classes, à un moment où l'Europe découvrait l'art nègre et les négro-spirituals. »

Les Noirs que l'on rencontre dans ce Paris de l'entre-deux-guerres ne se contentent plus de formuler des théories abstraites. Hommes d'action, ils sont directement impliqués en tant que parlementaires, journalistes, syndicalistes, étudiants, etc., dans le combat pour l'émancipation de la race noire. Ils s'inspirent de l'idée de panafricanisme chère à William Du Bois et à Marcus Garvey et s'emploient à lutter contre l'assimilation culturelle. Pour faire connaître leurs idées et défendre leurs intérêts, ils créent des associations dont les dénominations recèlent déjà tout un programme d'action : « Comité de défense de la race nègre », « Union des travailleurs nègres », « Ligue de défense de la race nègre », etc.

Ces associations disposent de publications spécifiques : *les Continents* (1924), *la Voix des Nègres* (1927), *la Dépêche Africaine* (1928), *la Race nègre* (1927), *Le Cri des Nègres* (1931)...

On ne saurait se tromper sur les intentions de ces revues lorsqu'elles font connaître les œuvres inédites de Langston Hughes et de Countee Cullen, ou qu'elles donnent la parole aux militants de la cause noire : le député sénégalais Blaise Diagne, l'écrivain antillais René Maran, le syndicaliste Garan T. Kouyaté, etc.

Cependant, on peut regretter que ces hommes, absorbés par l'urgence des problèmes politiques qui se posent en France et dans les colonies, n'accordent pas toute l'attention requise aux questions proprement culturelles.

A partir de 1930, un tournant important peut être observé lorsqu'apparaissent des périodiques dont le but affirmé est d'élaborer une vision de l'art et de la littérature propre « aux hommes de couleur » : *la Dépêche Africaine, la Revue du Monde Noir, Légitime Défense, l'Étudiant Noir.*

La Dépêche Africaine, créée par le Guadeloupéen Maurice Satineau en 1928, compense l'attitude réformiste, voire conservatrice, de la revue en matière politique par un grand élan de promotion en faveur de la littérature nègre. L'un des premiers écrivains noirs à en bénéficier est le romancier togolais Félix Couchoro.

La revue s'entoure de collaborateurs comme René Maran, Carl Brouard, les sœurs Nardal, Pierre Baye-Salzmann... qui s'inscrivent, pour la plupart, dans la continuité lorsqu'ils s'interrogent sur la croissance et le devenir possible d'une littérature noire.

La même réflexion se poursuit dans *la Revue du Monde Noir* créée par le Haïtien Léo Sajous en 1931. Elle compte dans son comité éditorial quelques transfuges de l'ancienne équipe de *la Dépêche Africaine* (P. Baye Salzmann, Paulette Nardal...), aussi l'a-t-on considérée comme une prolongation de la page littéraire du journal de Maurice Satineau. La tâche de *la Revue du Monde Noir* est cependant plus ambitieuse, car elle s'est employée à étudier les faits de civilisation qui pouvaient donner consistance à une « littérature nègre ».

En inventoriant ce qu'il y a de commun aux peuples noirs, *la Revue du Monde Noir* légitime par avance certaines déclarations de Senghor ou de Césaire. Et pourtant, elle ne passe pas pour un journal « révolutionnaire ». On lui reproche de n'avoir pas affirmé clairement son opposition à l'assimilation et de n'avoir pas opté pour une littérature entièrement « nègre », « envisageant l'avenir sous la forme d'une synthèse entre l'apport négro-africain et l'apport européen ».[1]

La revue *Légitime Défense* créée par Étienne Léro en 1932 excluera pour sa part toute idée de compromis avec la « culture latine ». Les signataires du manifeste de *Légitime Défense* sont des jeunes Antillais radicalisés qui proclament leur refus des modèles littéraires traditionnels - l'esthétique parnassienne ou post-romantique. Ils rejettent également les valeurs bourgeoises rendues responsables de l'abaissement moral et intellectuel de l'Antillais « de couleur ». Ils proclament en revanche leur adhésion sans réserve au marxisme, au surréalisme et à la psychanalyse. De ces méthodes, ils attendent l'ouverture sur une nouvelle conception du monde et notamment la redécouverte de leur identité profonde occultée par plusieurs siècles d'esclavage. Ils pensent que l'écrivain, « libéré de son aliénation », peut créer des œuvres authentiques exprimant « l'amour africain de la vie, la joie africaine de l'amour, le rêve africain de la mort » (Étienne Léro).

L'option poétique et littéraire de *Légitime Défense* ne s'est pas concrétisée, le journal n'ayant connu qu'une seule édition. Le témoignage fougueux d'Étienne Léro et de ses compagnons (René Ménil, Jules-Marcel Monnerot, Maurice Sabas-Quitman) est cependant repris en 1935, sous une forme sensiblement édulcorée par *l'Étudiant Noir*, le « journal de l'association des étudiants martiniquais en France ». Aimé Césaire, qui est le principal animateur de ce journal, y publie un article intitulé : « Nègreries, jeunesse noire et assimilation. » Le propos de Césaire est mesuré mais son refus de l'assimilation rejoint celui des fondateurs de *Légi-*

---

1. B. Mouralis, *Littérature et développement*, Silex-ACCT, Paris, 1984, p. 282.

time Défense : « la jeunesse noire veut agir et créer. Elle veut avoir ses poètes, ses romanciers, qui lui diront à elle ses malheurs à elle et ses grandeurs à elle ; elle veut contribuer à la vie universelle (...) et pour cela (...) il faut se conserver ou se retrouver : c'est le primat de soi. »

Dans ce même numéro de l'*Étudiant Noir*, un Africain, Senghor, joint sa voix à celle de Césaire pour réclamer la fin des « singes littéraires ». Mais l'auteur de *Négritude et Humanisme* dépasse les perspectives insulaires où le débat sur la création littéraire s'était jusqu'alors cantonné. Il propose un cadre nouveau à la création et à l'action, valable pour le monde noir en général : l'humanisme nègre. Celui-ci doit avoir « l'homme noir comme but, la raison occidentale et l'âme nègre comme instruments de recherche ». Tels sont les éléments constitutifs de la *Négritude*, concept philosophique et mouvement littéraire qui a dominé la vie culturelle africaine pendant près de quarante ans.

Poésie de la Négritude (1935-1960)

On voit donc que la Négritude, avant de devenir le grand mouvement poétique de l'après-guerre, s'est nourrie de tous les mouvements culturels antérieurs. Le mot Négritude apparaît pour la première fois dans le poème de Césaire *Cahier d'un retour au pays natal*, publié en 1939, dans la revue *Volontés*.

Césaire en a proposé une définition : « la Négritude est la simple reconnaissance du fait d'être noir, et l'acceptation de ce fait, de notre destin de noir, de notre histoire et de notre culture[1]. »

Senghor dote le mot d'une signification plus dynamique ; il définit la Négritude comme une manière spécifique d'« assumer les valeurs de civilisation du monde noir, (de) les actualiser et féconder, au besoin avec les apports étrangers »[2].

Cette prise de conscience devient un acte poétique dans la mesure où, à travers la poésie, des Nègres osent proclamer le droit à l'existence autonome. La poésie assure la soli-

---

1. Cité par L. S. Senghor, *Liberté 3, Négritude et Civilisation de l'Universel*, Le Seuil, Paris, 1977, p. 270.
2. *Ibid*.

darité historique du poète avec son peuple. On comprend donc que la poésie de la Négritude ait pris comme thèmes favoris la fierté d'appartenir à la civilisation africaine et la dénonciation de tout ce qui vient contrecarrer cette communion : l'esclavage et l'oppression coloniale.

Cette poésie recèle quelques paradoxes : née à Paris, elle ne s'accomplit qu'en recherchant ses racines, son style original où prédominent selon Senghor, l'émotion, le rythme et l'image. Se voulant « poreuse à tous les souffles du monde », elle exalte un humanisme de la différence vanté par Jean-Paul Sartre[3].

Et pourtant, Senghor semble avoir résolu ces contradictions. Théoricien doublé d'un créateur, il a mis en pratique la leçon de la Négritude dans ses recueils poétiques dont les premiers sont publiés dès la fin de la guerre : *Chants d'ombre* (1945), *Hosties noires* (1948), *Chants pour Naett* (1949). *L'Anthologie de la nouvelle poésie nègre et malgache de langue française*, réunie par L. S. Senghor en 1948 fait connaître les premiers poètes de la Négritude : Aimé Césaire Birago Diop, David Diop, Jacques Rabemananjara, Léon-Gontran Damas, etc. La retentissante préface de J.-P. Sartre, « Orphée noir », inscrit définitivement la Négritude parmi les grands mouvements littéraires contemporains.

Pendant la décennie 1950-1960, de nouveaux poètes font revivre l'esprit de la Négritude. Même s'ils ne se réclament pas explicitement de ce mouvement, leurs œuvres imposent un style et une thématique que n'auraient pas désavoué les « pères fondateurs ». Ainsi les poèmes de Bernard Dadié (*Afrique debout*, 1950), Antoine-Roger Bolamba (*Esanzo, chants pour mon pays*, 1955), Élolongue Épanya-Yondo (*Kamerun ! Kamerun !* 1960) accréditent une vision mythique et nostalgique de l'Afrique. La poésie de cette période est, d'autre part, un immense cri de douleur et un coup de tonnerre dans le ciel de l'oppression (David Diop, *Coups de Pilon*, 1956), une éructation blasphématoire à la mesure de l'indignation (Tchicaya U Tam Si, *Le mauvais sang*, 1955).

Parfois la confidence murmurée prend le pas sur la révolte

3. « Orphée noir », préface à *l'Anthologie de la nouvelle poésie nègre et malgache de langue française*, P.U.F., Paris, 1948.

hurlée, comme en attestent les rêveries mélancoliques de Joseph Miezan-Bognini (*Ce dur appel de l'espoir*, 1960) ou le désespoir tranquille de Jean-Paul Nyunaï (*La nuit de ma vie*, 1961).

S'agissant de la technique d'écriture, les poètes s'efforcent de plier leur langue aux règles prosodiques prônées par les théoriciens de la Négritude : aucune contrainte syllabique mais surcharge de l'image. Les mots se déploient selon la rythmique spontanée des chants populaires.

La plupart de ces écrivains sont publiés par les éditions Présence Africaine[1]. Créées par Alioune Diop en 1947, les éditions Présence Africaine déploient un effort éditorial important pour faire connaître la littérature africaine.

Elles se chargent également de faire accéder au statut de texte imprimé des connaissances relatives à l'Afrique, longtemps véhiculées par l'oralité, dans des domaines aussi variés que la religion, la philosophie, l'art, l'histoire, etc. La revue *Présence Africaine*, à la différence des revues éphémères des années 30, dispose du temps et d'un crédit moral suffisant[2] pour entreprendre en 1955 un « débat autour des conditions d'une poésie nationale chez les peuples noirs ». Le débat s'inscrit dans un contexte marqué par la conférence de Bandoeng[3] de 1955 où le « Tiers Monde » se reconnaît comme un bloc autonome et neutre, conscient de sa force. En effet, l'idée d'indépendance fait son chemin. L'empire colonial est en train de se fissurer en Asie et en Afrique du Nord. Les intellectuels africains qui s'expriment dans les colonnes de *Présence Africaine* ne veulent pas rester en marge de l'éveil des peuples colonisés. Leur arme est la littérature, ferment des grandes révolutions. Mais au moment où l'action politique prend le pas sur le débat culturel, un concept nouveau surgit en littérature : l'engagement.

1. La dénomination recouvre à la fois la revue culturelle et la maison d'édition établie à Paris et à Dakar.
2. Elle bénéficie du soutien de l'intelligentsia française (J.-P. Sartre, E. Mounier, A. Camus, G. Balandier et Théodore Monod sont dans le premier comité d'honneur de la revue).
3. La conférence de Bandoeng intervient dans le contexte de « la guerre froide » opposant le bloc occidental au bloc socialiste. Elle est à l'initiative des pays africains et asiatiques qui se veulent « neutres » vis-à-vis des deux blocs.
C'est à la suite de cette conférence que l'idée de « Tiers Monde » est lancée.

Une littérature d'Épigones (1960-1970)

Le tournant s'effectue dans un contexte où les tensions entraînées par la décolonisation imposent une réévaluation de la « mission » de l'écrivain. Comme l'expliquera plus tard Mohamadou Kane : « Il ne s'agit plus seulement d'assurer la défense et illustration des traditions et cultures africaines, mais, en leur nom, de résister à la colonisation, d'œuvrer à son anéantissement.[1] »

Les deux congrès des écrivains et artistes noirs organisés par Présence Africaine à Paris en 1956, puis à Rome en 1959, consacrent officiellement cette option et incitent l'écrivain à s'engager : la littérature doit hâter le processus de décolonisation politique et culturelle.

L'orientation nouvelle implique la mise en sourdine des thèmes récurrents de la Négritude, comme par exemple l'opposition entre la tradition et la modernité. La parole poétique est désormais l'expression des tensions et des situations conflictuelles.

Il faut dire que la poésie a été plus lente que le roman à intégrer le changement. Dès le début des années 50, les romanciers comme Mongo Beti, Ferdinand Oyono, Abdoulaye Sadji, avaient jeté la suspicion sur une littérature axée sur l'exaltation des valeurs anciennes[2]. Ils prônaient une prise en compte de la situation contemporaine de l'Afrique.

La mutation poétique est globalement plus décalée car elle n'intervient massivement que dans les premières années des indépendances africaines (1960-1967). La poésie de cette période est, à la différence de celle des années 50, plus sobre et plus dépouillée. Elle est plus désabusée aussi car les indépendances constituent, avec leurs promesses non tenues, une brutale désillusion. Cette poésie ne réussit pas à imposer une personnalité littéraire marquante. Les plus en vue (Lamine Diakhaté, Paulin Joachim, Cheikh Ndao...) hésitent encore à couper le cordon ombilical avec la Négritude. C'est ainsi que *la Nouvelle Somme de poésie du monde noir*

1. M. Kane, *Roman africain et tradition*, NEA, Dakar - Abidjan, 1983.
2. C'est la perspective des premiers romanciers comme Ousmane Socé, Félix Couchoro, Paul Hazoume.

(1966), anthologie qui se veut l'équivalent de celle de Senghor, rassemble, pour une bonne part, des textes destinés « à se consumer dans l'urgence de l'événement » (J.-L. Joubert). Excepté Tchicaya U Tam'Si (*Épitomé*, 1962) dont le puissant souffle poétique ne saurait être limité par les notions de temps et de lieu, les poètes de la première décennie des indépendances doivent encore surmonter des incohérences et des maladresses pour trouver leur voie propre.

Le nouvel élan poétique (1970-1980)

Certains poèmes se détachent cependant d'un ensemble désespérément terne. Des anthologies et des collections réservées aux publications d'un pays ou d'une région (Éd. Abbia, Clé à Yaoundé, Éd. du Mont Noir à Kinshasa) révèlent parfois un nom que l'histoire littéraire retient : Makala Mukadi Tshiakatumba (*Réveil dans un nid de flammes*, 1969), René Philombe (*Hallalis* et *Chansons nègres*, 1970), François Sengat-Kuo (*Fleurs de Latérite*, 1970). La générosité militante de ces poètes n'a pas émoussé un ton, un style qui se veut percutant. Certains se sont tus sitôt le premier chant entonné. On n'attendra pas d'eux un renouvellement des assises du langage poétique. L'avènement d'une troisième génération, postérieure à 1970, sera nécessaire pour amorcer le changement souhaité. Le poète ne se sent plus obligé désormais de s'engager dans le sens étriqué d'une adhésion aux projets existentiels bien définis. Il ne se sent pas tenu non plus d'imiter les Anciens. La création est un procès solitaire où l'unique contrainte pourrait être la fidélité du poète à son inspiration personnelle. Ce dernier doit s'attacher à l'élaboration d'un langage qui soit le plus près possible de ses rêves et de ses fantasmes.

L'écriture exprime les convulsions de la vie intime qui, dans bien des cas, ne s'apaise que dans l'harmonie retrouvée, dans l'accord originel qui scelle la réconciliation de l'homme avec le cosmos.

Sans les enfermer dans une démarche unitaire, les poètes originaires des pays où le mouvement de la Négritude n'a pas prospéré (L'Afrique Centrale, comme l'a bien vu L. Kesteloot) incarnent ce renouveau : J.-B. Tati Loutard, Maxime N'Debeka, V. Y. Mudimbe, Fernando d'Almeida, etc. Dans sa formulation la plus extrême, cette poésie aboutit à une très forte symbolisation. Le poète ne se préoccupe plus de délivrer un message. Sa parole est éclatée, mutilée, recomposée. Elle peut s'épanouir en une langue débridée d'une inquiétante allégresse :

> « *Frappe-moi ça balafon*
> *Frappe-moi ça cora*
> *Frappe-moi ça tam-tam*
> *Parole de pierre*
> *Parole d'épine*
> *Parole de fleuve*
> *Parole de lion*
> *Frappe-moi ça tam-tam*
> *LA TERRE S'OUVRE SUR LE TROU*
> *DU CIEL*
> *ET LE CIEL ENFERME LA TERRE DANS*
> *SON TROU »*

Jean-Marie Adiaffi, d'*Éclairs et de Foudres,*
Ceda, Abidjan, 1980.

ou s'égrener en vers spasmodiques qui semblent marquer le tempo d'une danse funèbre :

> « *Les tam-tams*
> *Et,*
> *Les clairons*
> *Le tam-tam*
> *Et*
> *Les radios*
> *Tirant*
> *Sur*
> *Des oreilles tendues*
> *Lancent*
> *Dans les airs*
> *Le son*
> *D'un repos »*

Frédéric Pacéré Titinga, *Poèmes pour l'Angola,*
Silex, Paris, 1982.

Ces textes retors n'évacuent pas le sens, bien au contraire, ils enregistrent le malaise social. Comment la poésie pourrait-elle, en effet, ignorer l'apartheid, les guerres fratricides, la famine et les cataclysmes qui frappent régulièrement l'Afrique ?

La boursouflure du langage poétique moderne traduit le bouillonnement de la vie africaine. La poésie africaine s'accomplit à travers cette démesure. Il appartient désormais à l'histoire de confirmer l'importance du mouvement poétique actuel dans la succession des tendances observées en Afrique depuis un demi-siècle.

QUELQUES POINTS DE REPÈRES

1903 *Ames noires* de W. E. B. Du Bois.

1918-1928 La négro-renaissance aux États-Unis.

1921 *Batouala* de René Maran.

1927-1938 L'École Indigéniste à Haïti.

1931 Création de la revue *le Monde Noir* à Paris.

1932 Parution de l'unique numéro de *Légitime Défense*.

1935 Création de l'*Étudiant noir*, « journal de l'association des étudiants martiniquais ».

1939 Publication de *Cahier d'un retour au pays natal* d'Aimé Césaire, dans la revue *Volontés*.

1945-1950 Premiers poèmes de L. S. Senghor : *Chants d'ombre, Hosties noires, Chants pour Naett*.

1947 Création de Présence Africaine par Alioune Diop.

1948 *Anthologie de la nouvelle poésie nègre et malgache de langue française* de L. S. Senghor, précédée de « Orphée noir », préface de J.-P. Sartre.

1955 Conférence de Bandoeng.

1956 Premier Congrès international des écrivains et artistes noirs à Paris.

1957 Indépendance de la *Gold Coast*, qui prend le nom de « Ghana ».

1958 Indépendance de la Guinée.

1959 Deuxième Congrès des écrivains et artistes noirs à Rome.

1960-1965 Indépendance de la plupart des pays de l'Afrique francophone.

1966 *Nouvelle somme de poésie du monde noir*, éditée par Présence Africaine.

1970-1980 Crise économique, répression en Afrique du Sud, sécheresse au Sahel.

1986 Prix Nobel de littérature attribué à l'écrivain Nigérian Wole Soyinka.

I LA SOUFFRANCE

Une certaine « habitude du malheur », pour reprendre le sous-titre d'un roman de Mongo Béti, paraît définir le destin de l'Afrique. Son martyre commence au début du XVIIe siècle avec la traite négrière, qui se soldera par des déportations massives évaluées à plusieurs millions d'individus. Pourchassés jusqu'aux tréfonds de la forêt et de la savane, parfois vendus par leurs propres frères, des hommes et des femmes sont acheminés vers les Amériques et la Caraïbe dans les cales des bateaux négriers. Leur destin : l'esclavage dans les plantations de coton et de canne à sucre du nouveau monde.

L'abolition de l'esclavage, en 1848, ne met pourtant pas un terme aux malheurs de l'Afrique. Le XIXe siècle sonne en effet l'heure de la constitution des grands empires coloniaux. En 1885, à la Conférence de Berlin, la France, l'Allemagne et l'Angleterre se partagent le continent africain. Résultat : plus d'un demi-siècle de domination coloniale marquée par le travail forcé, la dépersonnalisation, la confiscation de l'Histoire, le mépris des cultures autochtones. Les séquelles de ce drame sont encore sensibles aujourd'hui.

1. La traite négrière

La pratique du « commerce triangulaire », entreprise dès le XVIe siècle, demeure encore aujourd'hui l'une des pages les plus tragiques de l'histoire de l'Afrique. Son souvenir hante la mémoire des poètes.

ROBERT HAYDEN

U.S.A.

> Robert Hayden est né à Détroit, dans le Michigan, en 1913. Il est mort en 1980. Auteur de plusieurs recueils poétiques, dont *Heartshape in the dust* et *Ballad of Remembrance*, Robert Hayden définit une poésie qui, sans récuser la référence à la Négritude, refuse d'y voir l'unique ressort de la création littéraire. Cet élargissement de l'inspiration noire lui valut une large audience internationale.

La traversée

Le témoin déclare en outre que le Belle J.
quitta la côte de Guinée
avec une cargaison de cinq cents et quelques noirs
pour les nègreries de Floride :

« Qu'il y avait à peine la place dans l'entrepont pour la
[moitié
du bétail en nage serré comme des harengs ;
que certains devinrent fous de soif et arrachèrent leur
[chair
et sucèrent le sang :

« Que l'équipage et le Capitaine satisfirent leur
[convoitise avec les plus jolies
des filles sauvages gardées nues dans les cabines ;
qu'il y en avait une qu'ils nommèrent la Rose de
[Guinée

et qu'ils tirèrent au sort et se battirent pour coucher
                                        [avec elle :

« Que quand le maître d'équipage siffla tout le monde,
                                        [les flammes
se répandant de tribord échappèrent déjà à tout
contrôle, les nègres criaient et leurs chaînes
étaient empêtrées dans les flammes :

« Que les noirs brûlants ne pouvaient être atteints,
que l'équipage abandonna le navire,
laissant leurs négresses hurlantes ;
que le Capitaine périt saoul avec les jeunes femmes ;

« Le témoin n'ajoute pas autre chose. »
Pilote O Pilote Moi
Navettes dans le métier oscillant de l'histoire,
les sombres vaisseaux avancent, les sombres vaisseaux
                                        [avancent,
leurs brillants noms ironiques
comme la raillerie de la bonté dans la bouche d'un
                                        [meurtrier ;
fendent le clapotis scintillant vers
le lumineux rivage qui disparaît de la fata morgana,
tissent vers les littoraux du Nouveau Monde qui sont
mirage et mythe et rivage véritable.
Voyage à travers la mort,
    voyage dont les cartes sont dressées par la haine.

Une puanteur charnelle, effluve de la mort vivante,
se répand en dehors de la cale,
où les vivants et les morts, ceux qui expirent
                                        [horriblement,
gisent emmêlés, gisent salis de sang et d'excrément.

    Tout au fond de la cale putréscente, gît ton père,
    le cadavre de la pitié pourrit avec lui,
    des rats mangent les yeux froids putréfiés de
                                        [l'amour.

Mais oh les vivants vous regardent
avec des yeux humains dont la souffrance vous
                                                    [accuse,
dont la haine pénètre à travers la grasse obscurité
pour vous frapper comme la serre d'un lépreux.

Vous ne pouvez faire baisser ce regard de haine
Ni enchaîner la crainte qui rôde les quarts
et souffle sur vous son haleine fétide et brûlante ;
ne pouvez tuer le profond immortel désir de
                                                    [l'homme,
la volonté impérissable...

(Traduit par Sim Copans.)
La poésie négro-américaine, Seghers, Paris, 1966.

BERNARD DADIÉ

CÔTE-D'IVOIRE

Écrivain et homme politique, né à Assinie en 1916, ancien
élève de l'école William Ponty, Bernard Dadié apparaît
comme l'un des écrivains les plus représentatifs de la génération qui a donné ses lettres de noblesse à la culture africaine. Polygraphe, il s'est exercé avec bonheur dans pratiquement tous les genres, du journalisme au théâtre, en passant par la poésie et la chronique.

Œuvres principales :
- *Le Pagne noir* (Contes), Présence Africaine, 1955.
- *Climbié* (Roman), Seghers, 1956.
- *La Ronde des Jours* (Poésie), Paris, Seghers, 1956.
- *Un nègre à Paris* (Chronique), Présence Africaine, 1959.
- *Hommes de tous les continents* (Poésie),
  Présence Africaine, 1967.
- *Béatrice du Congo* (Théâtre), Présence Africaine, 1970.
- *Iles de Tempête* (Théâtre), Présence Africaine, 1973.
- *Les Jambes du fils de Dieu* (Nouvelles), Hatier, 1980.

Black Star

Une Étoile
dans le ciel de Cap-Coast, d'Elmina
a surgi
   Noire de promesses.

Hommes-marchandises
entassés dans le caveau des forts
parmi les rats,
la poudre, le feu, les caravanes,
la terre gorgée de sang et de chair
nous lient les uns aux autres.

Hommes-bétail enchaînés pour la foire,
Grande virgule dans l'Histoire
Le Temps reprend son cours,
lustre l'ébène
Et l'Aigle noir, l'envol.

Cargaisons estampillées au sceau du maître,
au-dessus de vous la fête.
Les bénéfices se comptent par tête
de nègre et de négrillon.
par douzaines de bêtes de labour,
par centaines d'hommes raflés, de cases razziées.

L'Océan a gardé sa voix de colère

Homme noir
Black Star
Le coq chante le réveil
C'est la nouvelle étape.

Vieux routier porteur de flambeaux
   Atlas,
Cape-Coast-Gwa !
Elmina ! Ouidah !
Citadelles d'infortune

Escales vers l'enfer
L'empire a changé de nom
Le négrier de fanion.
    Homme !
Cape-Coast-Gwa !
Elmina ! Ouidah !
Tombes et mausolées
Ici dans le jour sont morts des rêves.
Ici dans les fers et la nuit sont morts des hommes.

Accra, 23-3-62
Hommes de tous les Continents, Présence Africaine.

AIMÉ CÉSAIRE

MARTINIQUE

Né en 1913 à Fort-de-France, Aimé Césaire est, avec Léopold Senghor et Léon Gontran Damas, à l'origine du mouvement de la Négritude. Co-fondateur du journal *L'Étudiant noir*, dont le premier numéro paraît en 1935, Aimé Césaire a contribué à un profond renouvellement de la poésie. Son premier recueil, *Cahier d'un retour au pays natal* (1947) exprime à la fois la souffrance et la quête de liberté du peuple antillais, dont le poète se veut le porte-parole. Ce souffle épique marque également l'œuvre théâtrale et, en particulier, *la Tragédie du Roi Christophe*.

Œuvres principales :
- *Cahier d'un retour au pays natal* (Poésie), Présence Africaine, 1947.
- *Cadastre* (Poésie), Seuil, 1961.
- *Moi, laminaire* (Poésie), Seuil, 1963.
- *La Tragédie du Roi Christophe* (Tragédie), Présence Africaine, 1963.
- *Une saison au Congo* (Tragédie), Seuil, 1967.

Et ce pays cria

L'œuvre poétique maîtresse d'Aimé Césaire, Cahier d'un retour au pays natal, *publiée pour la première fois sous forme de fragments en 1939, apparaît à quelques années de distance comme un vibrant écho aux propos que tenait René Ménil sur l'écrivain de couleur antillais dans l'unique numéro de* Légitime Défense.

Césaire nous restitue en effet, à la manière d'une tragédie classique, l'itinéraire passionné du poète noir confronté à son destin de colonisé, aliéné par des siècles d'abâtardissement et pourtant désireux de relever la tête et de manifester hautement sa Négritude retrouvée. Mais ce parcours en forme de « descente aux enfers » ne va pas sans obstacles, les plus redoutables étant peut-être ceux qui résultent du mensonge colonial assimilé et intériorisé par le colonisé lui-même.

Et ce pays cria pendant des siècles que nous sommes des bêtes brutes ; que les pulsations de l'humanité s'arrêtent aux portes de la négrerie ; que nous sommes un fumier ambulant hideusement prometteur de cannes tendres et de coton soyeux et l'on nous marquait au fer rouge et nous dormions dans nos excréments et l'on nous vendait sur les places et l'aune de drap anglais et la viande salée d'Irlande coûtaient moins cher que nous, et ce pays était calme, tranquille, disant que l'esprit de Dieu était dans ses actes.
Nous vomissure de négrier
Nous vénerie[1] des Calabars[2]
Quoi ? Se boucher les oreilles ?
Nous, soûlés à crever de roulis, de risées, de brume
[humée !
Pardon tourbillon partenaire !
   J'entends de la cale monter les malédictions enchaînées, les hoquettements des mourants, le bruit d'un qu'on jette à la mer... les abois d'une femme en gésine... des raclements d'ongles cherchant des gorges...

---

1. *Vénerie :* art de la chasse à courre où l'on poursuit une bête jusqu'à ce qu'elle n'en puisse plus.
2. *Calabars :* côtes africaines de la baie du Biafra au Nigeria.

des ricanements de fouet... des farfouillis de vermine
parmi les lassitudes...

Rien ne put nous insurger jamais vers quelque noble
aventure désespérée.

Ainsi soit-il. Ainsi soit-il.

Je ne suis d'aucune nationalité prévue par les
                                                            [chancelleries.

Je défie le craniomètre. *Homo sum*, etc.

Et qu'ils servent et trahissent et meurent. Ainsi soit-il.

Ainsi soit-il. C'était écrit dans la forme de leur bassin.

Cahier d'un retour au pays natal, Présence Africaine, 1947.

LÉON GONTRAN DAMAS

GUYANE

Né en 1912 et originaire de Cayenne, Léon Gontran Damas
appartient à une famille bourgeoise plus éprise d'assimilation que d'authenticité, et dont l'influence l'a beaucoup marqué. Après une enfance et une adolescence trop protégées,
en raison d'une santé fragile et d'une sensibilité exacerbée,
Damas est envoyé en France pour y faire son droit.

Le premier contact avec Paris est rude mais il a le mérite
de lui faire prendre conscience de sa Négritude et l'oriente
bientôt vers des études d'ethnologie, dans lesquelles il voit
le moyen de retourner aux sources du passé africain. Très
lié aux milieux de l'intelligentsia parisienne - il fréquente
beaucoup les surréalistes, Aragon, Desnos et tous les Africains ou Négro-Américains qu'il peut rencontrer, en particulier Léopold Sédar Senghor, Aimé Césaire, Langston
Hughes, etc. - Damas connaît bientôt de grandes difficul-
tés matérielles et morales. Ses parents lui ont en effet coupé
les vivres, et pour subsister, il sera successivement débar-
deur aux Halles, ouvrier et plongeur, avant d'obtenir, sous
la pression de ses compatriotes, le bénéfice d'une bourse
qui lui permet de continuer ses études.

Œuvres principales :
- *Pigments*, GLM éditeur, 1937. Rééd. Présence Africaine, 1962.
- *Poèmes nègres sur des airs africains*, recueillis par L.-G. Damas, Éd. Guy Lévis-Mano, 1948.
- *Graffiti*, Seghers, 1952.
- *Black Label*, NRF, 1956.
- *Névralgies*, Présence Africaine.

La complainte du nègre

Pour Robert Goffin

Dans ce poème, Damas exprime sur un mode mineur la mémoire douloureuse du passé de sa race, marquée par les tourments de la servitude.

Ils me l'ont rendue
la vie
plus lourde et lasse

Mes aujourd'hui ont chacun sur mon jadis
de gros yeux qui roulent de rancœur
de honte

Les jours inexorablement
tristes
jamais n'ont cessé d'être
à la mémoire
de ce que fut
ma vie tronquée

Va encore
mon hébétude
du temps jadis
de coups de corde noueux
de corps calcinés
de l'orteil au dos calcinés
de chair morte
de tisons
de fer rouge
de bras brisés

sous le fouet qui se déchaîne
sous le fouet qui fait marcher la plantation
et s'abreuver de sang de mon sang de sang la sucrerie
et la bouffarde du commandeur crâner au ciel.

Pigments, Présence Africaine.

GÉRALD TCHICAYA U TAM'SI

CONGO

Gérald Tchicaya U Tam'Si né à Mpili en 1931, nous a brutalement quittés en avril 1988. Poète, dramaturge et romancier, il est l'un des plus grands écrivains africains par la qualité et la densité de son œuvre. L'œuvre poétique, d'une tonalité rare, supporte en effet aisément la comparaison avec celle des grands aînés, Césaire ou Senghor, et elle est déjà riche de sept recueils.

Poète exigeant et sans complaisance pour les modes ou les courants littéraires (il a toujours marqué la plus grande réserve à l'égard de la Négritude), Tchicaya est également un dramaturge acerbe, avec deux pièces, le *Zulu* (Nubia, 1977), *le Destin glorieux du maréchal Nnikon Nniku prince qu'on sort* (Présence Africaine, 1979) ; il s'est engagé plus tardivement et avec succès dans la voie du roman, publiant successivement les *Cancrelats (Albin Michel, 1980), la Main sèche* (R. Laffont, nouvelles, 1980), *les Méduses* ou *les Orties de mer* (1982), *les Phalènes* (Albin Michel, 1984), et *Ces fruits si doux de l'arbre à pain* (Seghers, 1987).

Œuvres poétiques :
- *Le mauvais sang*, Caractères, 1955.
- *Feu de brousse*, id.
- *A triche cœur*, Hautefeuille, 1958.
- *Épitomé*, P.-J. Oswald, 1962.
- *Le Ventre*, Présence Africaine, 1964.
- *Arc musical*, P.-J. Oswald, 1970.
- *La veste d'intérieur*, Nubia, 1977.

Vos yeux prophétisent une douleur...

Comme trois terrils, trois collines de cendres !
Mais dites-moi de qui sont ces cendres ?

La mer obéissait déjà aux seuls négriers
des nègres s'y laissaient prendre
malgré les sortilèges de leurs sourires
on sonnait le tocsin
à coups de pied au ventre
de passantes enceintes :
il y a un couvre-feu pour faisander leur agonie

Les feux de brousse surtout donnent de mauvais rêves
Quant à moi
quel crime commettrais-je ?
si je violais la lune
les ressusciterais-je ?
quelle douleur prophétisent vos yeux ?

Épitome, P.-J. Oswald, 1970.

2. L'oppression coloniale

Le dépeçage de l'Afrique, conséquence de la Conférence de Berlin, entraîne la généralisation du système colonial à travers l'ensemble du continent. Pour des millions d'Africains commence alors une longue période marquée du sceau de l'humiliation et de la disqualification.

FRANÇOIS SENGAT-KUO

CAMEROUN

François Sengat-Kuo est né à Douala en 1931. Diplomate, haut fonctionnaire et homme politique, il est l'auteur de deux recueils de poèmes, *Fleurs de latérite*, suivi de *Heures rouges* (Yaoundé, CLE, 1971) et *Collier de cauris* (Présence Africaine, 1970).

Ils sont venus...

Ils sont venus
au clair de lune
au rythme du tam-tam
ce soir-là
comme toujours
l'on dansait
l'on riait
brillant avenir
ils sont venus
civilisation
bibles sous le bras
fusils en mains
les morts se sont entassés
l'on a pleuré
et le tam-tam s'est tu
silence profond comme la mort

Fleurs de latérite, CLE.

DAVID MANDESSI DIOP

SÉNÉGAL

Né à Bordeaux en 1927, de parents africains, David Diop a passé la plus grande partie de sa vie en France avant de revenir enseigner au Sénégal et en Guinée. Il meurt tragiquement, le 29 août 1960, dans un accident d'avion survenu au large de Dakar.

Longtemps éloigné de l'Afrique, David Diop n'en manifeste pas moins son attachement profond à un continent dont il entend garder fidèlement la mémoire.

« *Comme l'écharde dans la blessure*
Comme un fétiche tutélaire au centre du village. »

Il est l'auteur d'un unique recueil, *Coups de pilon* (Présence Africaine, 1956 ; réédition augmentée de poèmes inédits en 1980 chez le même éditeur).

Les vautours

En ce temps-là
A coups de gueule de civilisation
A coups d'eau bénite sur les fronts domestiqués
Les vautours construisaient à l'ombre de leurs serres
Le sanglant monument de l'ère tutélaire
En ce temps-là
Les rires agonisaient dans l'enfer métallique des routes
Et le rythme monotone des Pater-Noster
Couvrait les hurlements des plantations à profit
O le souvenir acide des baisers arrachés
Les promesses mutilées au choc des mitrailleuses
Hommes étranges qui n'étiez pas des hommes
Vous saviez tous les livres vous ne saviez pas l'amour
Et les mains qui fécondent le ventre de la terre
Les racines de nos mains profondes comme la révolte
Malgré vos chants d'orgueil au milieu des charniers
Les villages désolés l'Afrique écartelée
L'espoir vivait en nous comme une citadelle
Et des mines du Souaziland à la sueur lourde des
[usines d'Europe
Le printemps prendra chair sous nos pas de clarté.

Coups de pilon, Présence Africaine.

CAMARA SIKHÉ

GUINÉE

Camara Sikhé est l'auteur de deux recueils poétiques, *Poèmes de combat et de vérité* (P.-J. Oswald, 1967) et *Clairière dans le ciel* (Présence Africaine, 1973).

J'ai de la mémoire

Je n'ai pas oublié
Ma mémoire n'est pas courte
J'ai une mémoire
Longue longue infinie
Une mémoire intraitable et têtue
Qui pousse
Jusque
Dans la nuit des temps

Ma mémoire est
Celle de mes frères et de mes sœurs
Celle de mes pères et mères
Celle de toutes les générations
De mon peuple
Qui a souffert
Tout le temps

Je suis de la lignée
Des deux cents millions
De mes frères
Qui ont connu
Les peines et les douleurs
Qui ont connu
La mort et l'humiliation

Je suis dans le sentier
Des morts et des humiliés des siècles
Je suis dans l'itinéraire
De ceux que
Par l'Europe criminelle
L'Afrique a perdus déracinés
Et qui ont été jetés
Dans tous les bagnes
Des Amériques

Ma mémoire est fidèle
Aux souvenirs amers perspicaces
A ce que dit l'histoire

De tous les temps
A ce que connaît l'expérience
De toutes les générations

Ma mémoire
Si longue
Si fidèle
Si têtue
Interroge l'histoire...

Ma mémoire sagace
N'a oublié
Ni les inégalités
Les injustices
Ni les prestations
L'indigénat
Le travail forcé
L'effort de guerre
Pour une guerre
Qui n'était pas notre guerre
Mais la leur
Celle des capitaux

Sur les routes de l'enfer
Dans l'air flamboyant
Sur les chemins brûlants
J'ai vu trimer les prestataires
Dans les vastes chantiers
Loin des villes des villages
Sous la pluie
Dans le vent énervé

Affamés exsangues
Criblés de blessures
Les yeux révulsés hagards
Privés exilés
Des centaines
Des milliers
Des millions
De travailleurs forcés déplacés

Ont souffert leur martyre
Et ruminé leur dégradation

Les grandes forêts discrètes
Les vastes fleuves
Aux immenses caïmans
Les profondeurs abyssales des mers
Ont été les témoins
Muets
De la tragédie centenaire
Des coupeurs de billes
Des coupeurs de bananes
Des cueilleurs de caoutchouc
Des ramasseurs de palmistes
Des chasseurs d'éléphants
Des chasseurs de crocodiles
Des pêcheurs de perles
De toute l'existence humiliée
De mes frères

Ma mémoire
Qui juge
Qui condamne
Ne pardonne pas
La disqualification
Que connaissent mes frères
Mes frères
Du Sud de l'Afrique martyre
Mes frères
De l'Angola invincible
mes frères de l'irrésistible Bissao
Mes frères
Du courageux Mozambique
Ceux de Zimbabwe
De toute l'Afrique
Dépossédée
Violentée
Révoltée

Poèmes de combat et de vérité, P.-J. Oswald, 1967.

3. L'aliénation culturelle

L'aliénation culturelle aboutit à la dépersonnalisation. Victime du mépris dont il est l'objet, le poète nègre en vient à se vivre comme une pure transparence : « Il n'y a personne... » constate amèrement Bernard Dadié. A moins qu'il n'intériorise les valeurs occidentales que lui enseigne l'école des Blancs au point de « décliner la rose » et « nos ancêtres les Gaulois », ou, pis encore, de faire preuve de complaisance et de lâcheté en présence d'un de ses compatriotes disgrâcié par le destin.

LÉON GONTRAN DAMAS
GUYANE

Hoquet

Et j'ai beau avaler sept gorgées d'eau
trois à quatre fois par vingt-quatre heures
me revient mon enfance dans un hoquet secouant mon
[instinct

tel le flic le voyou
Désastre
parlez-moi du désastre
parlez-m'en

Ma mère voulant d'un fils très bonnes manières à table
    les mains sur la table
    le pain ne se coupe pas
    le pain se rompt
    le pain ne se gaspille pas le pain de Dieu
    le pain de la sueur du front de votre Père
    le pain du pain

Un os se mange avec mesure et discrétion
un estomac doit être sociable
et tout estomac sociable se passe de rots
une fourchette n'est pas un cure-dents
défense de se moucher
au su
au vu de tout le monde
et puis tenez-vous droit
un nez bien élevé ne balaye pas l'assiette
Et puis et puis
et puis au nom du Père
   du Fils
      du Saint-Esprit
à la fin de chaque repas
   Et puis et puis
   et puis désastre
parlez-moi du désastre
parlez-m'en

Ma mère voulant d'un fils mémorandum
   si votre leçon d'histoire n'est pas sue
   vous n'irez pas à la messe dimanche avec
   vos effets de dimanche
   Cet enfant sera la honte de notre nom
   cet enfant sera notre nom de Dieu
   Taisez-vous
   vous ai-je dit qu'il vous fallait parler français
   le français de France
   le français du français
   le français français

Désastre
parlez-moi du désastre
parlez-m'en

Ma mère voulant d'un fils
   fils de sa mère
   Vous n'avez pas salué voisine
   encore vos chaussures de sales
   et que je vous y reprenne dans la rue
   sur l'herbe ou sur la Savane

à l'ombre du monument aux morts
à jouer
à vous ébattre avec untel
avec untel qui n'a pas reçu le baptême

Désastre
parlez-moi du désastre
parlez-m'en

Ma mère voulant d'un fils très do
   très ré
   très mi
   très fa

   très sol
   très si
   très do
   ré-mi-fa
   sol-la-si
     do

Il m'est revenu que vous n'étiez encore pas
à votre leçon de violon
un banjo
vous dites un banjo
comment dites-vous
un banjo vous dites bien un banjo
Non monsieur
   vous saurez qu'on ne souffre chez nous
ni ban
ni jo
ni gui
ni tare
les *mulâtres* ne font pas ça
laissez donc ça aux *nègres*.

Pigments, Présence Africaine.

AIMÉ CÉSAIRE

MARTINIQUE

Le vieux nègre

Et moi, et moi,
moi qui chantais le poing dur
Il faut savoir jusqu'où je poussai la lâcheté. Un soir
dans un tramway en face de moi, un nègre.

C'était un nègre grand comme un pongo[1] qui essayait
de se faire tout petit sur un banc de tramway. Il
essayait d'abandonner sur ce banc crasseux de tramway
ses jambes gigantesques et ses mains tremblantes de
boxeur affamé. (...)

On voyait très bien comment le pouce industrieux et
malveillant avait modelé le front en bosse, percé le nez
de deux tunnels parallèles et inquiétants, allongé la
démesure de la lippe, et par un chef-d'œuvre
caricatural, raboté, poli, verni la plus minuscule
mignonne petite oreille de la création.

C'était un nègre dégingandé sans rythme ni mesure.
Un nègre dont les yeux roulaient une lassitude
[sanguinolente.

Un nègre sans pudeur et ses orteils ricanaient de
façon assez puante au fond de la tanière entrebâillée de
ses souliers.

La misère, on ne pouvait pas dire, s'était donné un
[mal fou pour l'achever.

Elle avait creusé l'orbite, l'avait fardée d'un fard de
[poussière et de chassie[2] mêlées.

Elles avait tendu l'espace vide entre l'accrochement
solide des mâchoires et les pommettes d'une vieille joue
décatie. Elle avait planté dessus les petits pieux luisants
d'une barbe de plusieurs jours. Elle avait affolé le cœur,
voûté le dos.

1. *Pongo* : désigne un grand singe.
2. *Chassie* : liquide visqueux qui coule des yeux.

Et l'ensemble faisait parfaitement un nègre hideux,
un nègre grognon, un nègre mélancolique, un nègre
affalé, ses mains réunies en prière sur un bâton noueux.
Un nègre enseveli dans une vieille veste élimée. Un
nègre comique et laid et des femmes derrière moi
ricanaient en le regardant.
    Il était COMIQUE ET LAID,
    COMIQUE ET LAID pour sûr.
J'arborai un grand sourire complice...
    Ma lâcheté retrouvée !
Je salue les trois siècles qui soutiennent mes droits
civiques et mon sang minimisé.
Mon héroïsme, quelle farce !
Cette ville est à ma taille.
Et mon âme est couchée. Comme cette ville dans la
crasse et dans la boue couchée.
Cette ville, ma face de boue.
Je réclame pour ma face la louange éclatante du
                                              [crachat !...

Alors, nous étant tels, à nous l'élan viril, le genou
vainqueur, les plaines à grosses mottes à l'avenir ?
Tiens, je préfère avouer que j'ai généreusement déliré,
mon cœur dans ma cervelle ainsi qu'un genou ivre.

Cahier d'un retour au pays natal, Présence Africaine, 1947.

LÉOPOLD SÉDAR SENGHOR

SÉNÉGAL

Léopold Sédar Senghor est né à Joal en 1906. D'origine
patricienne, Senghor effectue ses études primaires et secondaires au Sénégal avant de rejoindre Paris et la Sorbonne
où il accomplit de brillantes études de lettres. Le premier
agrégé de grammaire d'Afrique noire est également le fondateur, avec Damas et Césaire, de la revue *l'Étudiant noir*
qui, en 1935, jettera les bases du mouvement de la Négritude dont il s'est depuis lors institué le champion.

L'œuvre poétique de Senghor s'ouvre en 1945 avec la publication des *Chants d'Ombre*, suivis en 1948 par *Hosties noires*, *Éthiopiques* en 1956, *Nocturnes* en 1962, *Lettres d'Hivernage* en 1972 et enfin *Élégies majeures* en 1979. Il est également l'auteur de l'*Anthologie de la nouvelle poésie nègre et malgache de langue française*, publiée en 1948. On a pu dire que Senghor écrivait comme un griot qui aurait lu Saint-John Perse, et il est vrai que sa poésie s'enracine profondément dans le royaume de l'enfance, qu'exalte le poème *Joal*. Mais si le pèlerinage aux sources ancestrales a pour fonction de rattacher Senghor à un continent bien réel, sa démarche n'est exempte ni d'amertume ni de nostalgie : « Mais je n'efface les pas de mes pères ni des pères de mes pères dans ma tête ouverte à vents et pillards du Nord » affirme-t-il avec vigueur dans *A l'appel de la race de Saba*, écrit en 1936, au moment de l'agression italienne contre l'Éthiopie. Toutefois, le poète s'interdit de donner libre cours à sa « réserve de haine » car il situe son destin à la croisée de deux mondes complémentaires réunis par le métissage culturel.

Principales œuvres poétiques :
- *Chants d'Ombre*, Le Seuil, 1945.
- *Hosties noires*, Le Seuil, 1948.
- *Anthologie de la nouvelle poésie nègre et malgache de langue française*, PUF, 1948.
- *Éthiopiques*, Le Seuil, 1956.
- *Nocturnes*, Le Seuil, 1962.
- *Élégie majeures*, Le Seuil, 1979.
- *Liberté I, II, III, IV*, Le Seuil, 1964, 1971, 1977, 1983 (essais).

Le message

Ils m'ont dépêché un courrier rapide.
Et il a traversé la violence des fleuves ; dans les
[rizières basses,
il enfonçait jusqu'au nombril.
C'est dire que leur message était urgent.
J'ai laissé le repas fumant et le soin de nombreux
[litiges.

Un pagne, je n'ai rien emporté pour les matins de
[rosée.
Pour viatique, des paroles de paix, blanches à m'ouvrir
[toute route.
J'ai traversé, moi aussi, des fleuves et des forêts
[d'embûches vierges
D'où pendaient des lianes plus perfides que serpents
J'ai traversé des peuples qui vous décochaient un salut
[empoisonné.
Mais je ne perdais pas le signe de reconnaissance.

Et veillaient les Esprits sur la vie de mes narines.
J'ai reconnu les cendres des anciens bivouacs et les hôtes
[héréditaires.
Nous avons échangé de longs discours sous les
[kaïlcédrats
Nous avons échangé les présents rituels.
Et j'arrivai à Élissa, nid de faucons défiant la superbe
[des Conquérants.
J'ai revu l'antique demeure sur la colline, un village
[aux longs cils baissés.
Au Gardien du Sang j'ai récité le long message
Les épizooties[1] le commerce ruiné, les chasses
[quadrillées la décence bourgeoise
Et les mépris sans graisse dont se gonflent les ventres
[des captifs.

Le Prince a répondu. Voici l'empreinte exacte de son
[discours
« Enfants à tête courte, que vous ont chanté les kôras[2] ?
« Vous déclinez la rose, m'a-t-on dit, et vos Ancêtres les
[Gaulois.
« Vous êtes docteurs en Sorbonne, bedonnants de
[diplômes.

1. *Épizooties* : épidémies qui frappent les animaux.
2. *Kôras* : harpes.

« Vous amassez des feuilles de papier - si seulement des
louis d'or à compter sous la lampe, comme feu ton père
                                    [aux doigts tenaces !
« Vos filles, m'a-t-on dit, se peignent le visage comme
                                    [des courtisanes
« Elles se casquent pour l'union libre et éclaircir la race !
« Êtes-vous plus heureux ? Quelque trompette à
                                    [wa-wa-wâ
« Et vous pleurez aux soirs là-bas de grands feux et de
                                    [sang.
« Faut-il vous dérouler l'ancien drame et l'épopée ?
« Allez à Mbissel à Fa'oy ; récitez le chapelet de
                    [sanctuaires qui ont jalonné la Grande Voie
« Refaites la Route Royale et méditez ce chemin de
                                    [croix et de gloire.
« Vos Grands Prêtres vous répondront : Voix du Sang !
« Plus beaux que des rôniers sont les Morts d'Élissa ;
                    [minces étaient les désirs de leur ventre.
« Leur bouclier d'honneur ne les quittait jamais ni leur
                                    [lance royale.
« Ils n'amassaient pas de chiffons, pas même de guinées
                                    [à parer leurs poupées.
« Leurs troupeaux recouvraient leurs terres, telles leurs
                    [demeures à l'ombre divine des ficus
« Et craquaient leurs greniers de grains serrés d'enfants.
« Voix du Sang ! Pensées à remâcher !
« Les Conquérants salueront votre démarche, vos
        [enfants seront la couronne blanche de votre tête. »

J'ai entendu la Parole du Prince.
Héraut de la Bonne Nouvelle, voici sa récade[3] d'ivoire.

Chants d'Ombre, Éd. du Seuil, 1945.

---

3. *Récade* : bâton de messager qui, envoyé par le roi à un des-
tinataire, se substitue au roi lui-même.

II. LE RETOUR AUX SOURCES

La pénétration européenne en Afrique s'est accompagnée d'une entreprise systématique de rationalisation de la nature. Le langage de l'administrateur et du maître d'école exalte les valeurs héritées du Siècle des Lumières : ordre, raison, progrès.

Cette prose trouve d'abord peu d'échos parmi les Africains que les poètes de la Négritude exhortent au contraire à inventorier leurs propres richesses culturelles, dans lesquelles ils voient à la fois un héritage permanent et le plus sûr rempart contre le déracinement et l'aliénation. La poésie africaine sera donc un retour aux sources, redécouverte des masques primordiaux et célébration de l'Afrique retrouvée.

Mais ce thème du retour vers le passé, si fréquent chez les poètes de la première génération, n'est pas seulement l'expression d'une nostalgie. Il exprime également l'une des valeurs permanentes de la poésie africaine de tous les temps : l'adhésion aux valeurs sensibles du cosmos, le sentiment d'une harmonie profonde entre l'homme et la nature.

I. La redécouverte des masques ancestraux

A la fois savoir et révélation, les masques expriment l'attachement de l'Afrique aux rituels ancestraux. Ils sont le symbole même d'une mémoire qui plonge dans la nuit des temps et assure la transition entre le monde des morts et celui des vivants.

L'entreprise poétique se confond donc ici avec une quête qui conduit le poète à remonter le cours du temps pour y retrouver la trace de ses origines.

LAMINE DIAKHATÉ

SÉNÉGAL

Né en 1928 à Saint-Louis du Sénégal, Lamine Diakhaté a occupé dans son pays d'importantes fonctions administratives et politiques avant d'entamer une carrière diplomatique qui l'a conduit successivement à New York, Lagos et Paris où il était représentant du Sénégal auprès de l'UNESCO. C'est dans cette ville qu'il est mort en 1987.

Ce diplomate subtil et courtois est l'auteur d'une œuvre poétique importante, forte de cinq recueils, *la Joie d'un continent* (Alès, P.A.B. 1954), *Primordiale du sixième jour* (Présence Africaine, 1963), *Temps de mémoire* (Présence Africaine, 1967), *Nigérianes* (Dakar, NEA, 1974), et *Terres médianes* (Saint-Germain-des-Prés, 1984)

Disciple fidèle de Léopold S. Senghor, Lamine Diakhaté se sent très proche des sources de la poésie orale traditionnelle, et chacune des étapes parcourues par ce grand voyageur lui est occasion de célébrer l'homme noir, qu'il soit d'Amérique, des Caraïbes ou d'Afrique.

Je sens le sang malinké

XIV

Je sens le sang malinké
   dans tes veines
On dirait les eaux du Djoliba.
En moi s'éveille ce sang
la mélodie que rythment
les souffles de mon cœur.
Hier j'ai communié avec les princes
de Sagesse, avec les princes de puissance
là-bas.
Hier je me suis perdu par le mirage
par les routes de soleil.
Hier j'ai lancé le cri de l'Initié.
Hier j'ai visité le Haut-Pays
en moi s'est réveillé le sang ancien
le sang malinké des princes de Sagesse
des princes de puissance
ton sang ô ma sœur !

XV

Je ferai le voyage par les routes anciennes...
Le père de Grand-père était maître de science
Il asséchait mers et fleuves
il pliait les routes à l'ombre
de son aisselle droite
Tu porteras le collier d'argent
tu ressembleras à nos sœurs de SANGOMAR
j'admirerai la grâce ancienne
la senteur de ton pays
inondera mon âme
A tes chevilles les bracelets
d'or de GHANA
La voix du dyâli bercera la solitude de tes pas
tu illumineras la forêt du silence de son sourire
et mes désirs se consumeront dans la flamme
du sang.

Primordiale du sixième jour, Présence Africaine.

JEAN-BAPTISTE TATI LOUTARD

CONGO

Jean-Baptiste Tati Loutard est né à Ngoyo en 1938. Poète, nouvelliste et romancier, il est l'auteur de plusieurs recueils poétiques et d'une série de nouvelles dans lesquelles, en observateur lucide de la société, il analyse les mutations contemporaines intervenues dans son pays au lendemain de l'indépendance.

On doit également à Jean-Baptiste Tati-Loutard la première *Anthologie de la littérature congolaise d'expression française* (Yaoundé, CLÉ, 1976).

Œuvres principales :

Poésie
- *Poèmes de la Mer*, Clé, 1968.
- *Les Racines congolaises*, P.-J. Oswald, 1968.
- *L'Envers du soleil*, P.-J. Oswald, 1970.
- *Les Normes du Temps*, Mont-Noir, 1974 ; réédition Hatier, 1988.
- *Les Feux de la Planète*, Nouvelles Éditions Africaines, 1977.
- *Le Dialogue des Plateaux*, Présence Africaine, 1982.
- *La Tradition du Songe*, Présence Africaine, 1985.
  Ce recueil a été couronné par le Prix Panafricain OKIGBO pour la poésie, créé par Wole Soyinka en 1988.

Prose
- *Chroniques congolaises*, P.-J. Oswald, 1974.
- *Nouvelles chroniques congolaises*, Présence Africaine, 1980.
- *Anthologie de la littérature congolaise*, Clé, 1976.
- *Le Récit de la Mort* (Roman), Présence Africaine, 1987.
  Grand prix littéraire de l'Afrique noire, 1987, décerné par l'ADELF.

Village ancestral

A tâtons nous sommes parvenus jusqu'à toi
Sous un ciel perlant de feu
L'huile des fatigues sur tous les visages
(Tu es vraiment terre de pétrole et de soleil)

Et nous cherchions dans le brûlis
D'autres traces que les cendres d'un arbre
Toi qui fus riche en conteurs de légendes
Il te reste une cigale récitant
D'une voix monocorde
L'hymne au soleil de midi
Contre une écorce d'eucalyptus
Et quelques corbeaux cravatés
Décrivant là-haut les lignes
D'un destin spiralé

Voici l'apaisement du soir
Jusqu'aux racines des cheveux
L'arbre replie son parasol
Et ce chien de soleil couchant
Dresse encore contre la nuit

Son mufle ensanglanté
La mémoire nous ouvre ses plis
Nous croisons nos morts dans les songes
Tout se remet à courir vers l'aube
Le coq pousse un cri
Et s'enfuit le génie de la nuit
Emportant sous le bras la voie lactée
Comme un sachet de fruits

La Tradition du songe, **Présence Africaine.**

LÉOPOLD SÉDAR SENGHOR

SÉNÉGAL

Prière aux masques

Masques ! O Masques !
Masque noir, masque rouge, vous masques
[blanc-et-noir
Masques aux quatre points d'où souffle l'Esprit

Je vous salue dans le silence !
Et pas toi le dernier, Ancêtre à tête de lion.
Vous gardez ce lieu forclos à tout rire de femme, à tout
     [sourire qui se fane
Vous distillez cet air d'éternité où je respire l'air de mes
     [Pères.
Masques aux visages sans masque, dépouillés de toute
     [fossette comme de toute ride
Qui avez composé ce portrait, ce visage mien penché
     [sur l'autel de papier blanc
A votre image, écoutez-moi !
Voici que meurt l'Afrique des empires - c'est l'agonie
     [d'une princesse pitoyable
Et aussi l'Europe à qui nous sommes liés par le
     [nombril.
Fixez vos yeux immuables sur vos enfants que l'on
     [commande
Qui donnent leur vie comme le pauvre son dernier
     [vêtement.
Que nous répondions présents à la renaissance du
     [Monde
Ainsi le levain qui est nécessaire à la farine blanche.
Car qui apprendrait le rythme au monde défunt des
     [machines et des canons ?
Qui pousserait le cri de joie pour réveiller morts et
     [orphelins à l'aurore ?
Dites, qui rendrait la mémoire de vie à l'homme aux
     [espoirs éventrés ?
Ils nous disent les hommes du coton du café de l'huile
Ils nous disent les hommes de la mort.
Nous sommes les hommes de la danse, dont les pieds
     [reprennent vigueur en frappant le sol dur.

Chants d'Ombre, Seuil, 1945.

FRANÇOIS SENGAT-KUO

CAMEROUN

Au masque

Masque ô masque tutélaire de mon village
je te salue comme le coq salue l'aurore
et je confesse ma trahison d'enfant prodigue

Ils m'ont dit ô masque à l'âge de l'innocence
que ton regard séculaire brûle du feu de l'enfer
et que le rictus de tes lèvres est malédiction
et que tu es mensonge et que tu es désordre

au bord de la route ô masque je t'ai déposé
comme un voyageur fourbu une idole encombrante
et ma prière inquiète à la tombée de la nuit
Grands Maîtres du livre et du Canon
que votre règne soit la récompense de mon voyage

voici mes pieds meurtris d'une longue errance
je viens à toi comme d'un désert calciné
assoiffé d'ombre et de sources vives
je reviens à toi la tête haute ô masque

mon éclat de rire tonnerre au milieu de leur fête
je te découvre nombril sacré de mon être
et ta beauté foudroie mon cœur de sa vérité d'homme
et tes yeux profonds s'allument en soleils primordiaux
et tes lèvres murmurent des secrets oubliés
Toi qui n'es pas fin mais recommencement
ô masque moi-même en face de moi
je te salue comme le coq un jour nouveau.

Collier de Cauris, Présence Africaine.

BIRAGO DIOP

SÉNÉGAL

Birago Diop est né à Dakar en 1906. Vétérinaire de profession, Birago Diop a effectué l'essentiel de sa carrière au Mali, au Burkina et au Sénégal. Homme de terrain pendant de longues années, il devait se lier d'amitié avec le vieux griot Amadou Koumba Ngom qui est à l'origine de son entreprise littéraire successivement illustrée par *les Contes d'Amadou Koumba* (Paris, Présence Africaine, 1947), *les Nouveaux Contes d'Amadou Koumba* (Id. 1958), *Contes et lavanes* (Id. 1963).

En Afrique, fait observer Léopold Senghor, il n'y a pas de frontière entre le visible et l'invisible, entre la vie et la mort. Et le poète ajoute : « Le réel n'acquiert son épaisseur, ne devient vérité qu'en s'élargissant aux dimensions extensibles du surréel. »

C'est ce sentiment profond qu'exprime ici Birago Diop dans l'un des plus beaux poèmes de la littérature africaine, cité dans l'Anthologie de la nouvelle poésie nègre et malgache de langue française.

Souffles

Écoute plus souvent
Les choses que les êtres,
La voix du feu s'entend,
Entends la voix de l'eau.
Écoute dans le vent
Le buisson en sanglot :
C'est le souffle des ancêtres.

Ceux qui sont morts ne sont jamais partis
Ils sont dans l'ombre qui s'éclaire
Et dans l'ombre qui s'épaissit,
Les morts ne sont pas sous la terre
Ils sont dans l'arbre qui frémit,
Ils sont dans le bois qui gémit,
Ils sont dans l'eau qui coule,
Ils sont dans l'eau qui dort,

Ils sont dans la case, ils sont dans la foule
Les morts ne sont pas morts.

> Écoute plus souvent
> Les choses que les êtres,
> La voix du feu s'entend,
> Entends la voix de l'eau.
> Écoute dans le vent
> Le buisson en sanglot :
> C'est le souffle des ancêtres.

Le souffle des ancêtres morts
Qui ne sont pas partis,
Qui ne sont pas sous terre,
Qui ne sont pas morts.
Ceux qui sont morts ne sont jamais partis,
Ils sont dans le sein de la femme,
Ils sont dans l'enfant qui vagit,

Et dans le tison qui s'enflamme.
Les morts ne sont pas sous la terre,
Ils sont dans le feu qui s'éteint,
Ils sont dans le rocher qui geint,
Ils sont dans les herbes qui pleurent,
Ils sont dans la forêt, ils sont dans la demeure,
Les morts ne sont pas morts.

> Écoute plus souvent
> Les choses que les êtres,
> La voix du feu s'entend,
> Entends la voix de l'eau.
> Écoute dans le vent
> Le buisson en sanglot :
> C'est le souffle des ancêtres.

Il redit chaque jour le pacte,
Le grand pacte qui lie,
Qui lie à la loi notre sort ;
Aux actes des souffles plus forts
Le sort de nos morts qui ne sont pas morts ;
Le lourd pacte qui nous lie à la vie,

La lourde loi qui nous lie aux actes
Des souffles qui se meurent.

Dans le lit et sur les rives du fleuve,
Des souffles qui se meuvent
Dans le rocher qui geint et dans l'herbe qui pleure.
Des souffles qui demeurent
Dans l'ombre qui s'éclaire ou s'épaissit,
Dans l'arbre qui frémit, dans le bois qui gémit,
Et dans l'eau qui coule et dans l'eau qui dort,
Des souffles plus forts, qui ont pris
Le souffle des morts qui ne sont pas morts,
Des morts qui ne sont pas partis,
Des morts qui ne sont plus sous terre.

   Écoute plus souvent
   Les choses que les êtres...

Paru ultérieurement dans *Leurres et Lueurs*, Présence Africaine, 1960.

2. La célébration de l'Afrique retrouvée

Le contact une fois rétabli grâce à l'intercession des masques tutélaires, le poète peut à loisir chanter l'Afrique retrouvée. Une Afrique qui est à la fois royaume de l'enfance, célébration de la Négritude et exaltation des grandes figures du passé.

LÉOPOLD SÉDAR SENGHOR
SÉNÉGAL

Joal

Le thème de l'enracinement dans l'Afrique mère est l'un des leitmotive de la poésie de Senghor. A l'inverse d'Aimé Césaire, deux fois exilé, et pour qui l'Afrique représente un continent mythique intellectuellement reconstruit l'auteur d'Éthiopiques puise son inspiration aux sources mêmes du pays sérère qui le vit naître. « La moitié de mes poèmes, fait-il observer, m'ont été inspirés par deux cantons, celui de Joal où je suis né, et celui de Fimla, près de Djilor, où j'ai passé mon enfance. »

C'est ce « royaume d'enfance » que le poète retrouve par la magie incantatoire du verbe dans le poème « Joal » qui évoque d'une manière étonnante des scènes marquantes, à la fois païennes et chrétiennes, de l'enfance du poète. On notera que ce poème composé en Europe est empreint de la nostalgie que souligne la série des anaphores, « Je me rappelle... »

Joal !
    Je me rappelle.
Je me rappelle les signares[1] à l'ombre verte des vérandas
Les signares aux yeux surréels comme un clair de lune
                                        [sur la grève.

Je me rappelle les fastes du Couchant
Où Koumba N'Dofène voulait faire tailler son manteau
                                        [royal.

Je me rappelle les festins funèbres fumant du sang des
                                        [troupeaux égorgés
Du bruit des querelles, des rhapsodies des griots.

Je me rappelle les voix païennes rytmant le *Tantum*
                                        [*Ergo*
Et les processions et les palmes et les arcs de triomphe.
Je me rappelle la danse des filles nubiles
Les chœurs de lutte - oh ! la danse finale des jeunes
                                        [hommes, buste
Penché élancé, et le pur cri d'amour des femmes -
                                        [*Kor Siga* !

1. *Signares* : autrefois mûlatresses vivant maritalement avec un Européen.

Je me rappelle, je me rappelle...
Ma tête rythmant
Quelle marche lasse le long des jours d'Europe où
[parfois
Apparaît un jazz orphelin qui sanglote sanglote
[sanglote.

Chants d'Ombre, Le Seuil, 1945.

AIMÉ CÉSAIRE

MARTINIQUE

La maison natale

A l'inverse de Senghor, pour Césaire, « le retour au pays natal » représente une véritable descente aux enfers. Les Antilles réelles, pour cet « arrière petit-fils d'esclave », sont synonymes de misère, de cruauté, de souillure.

Au bout du petit matin, une petite maison qui sent très mauvais dans une rue très étroite, une maison minuscule qui abrite en ses entrailles de bois pourri des dizaines de rats et la turbulence de mes six frères et sœurs, une petite maison cruelle dont l'intransigeance affole nos fins de mois et mon père fantasque grignoté d'une seule misère, je n'ai jamais su laquelle, qu'une imprévisible sorcellerie assoupit en mélancolique tendresse ou exalte en hautes flammes de colère ; et ma mère dont les jambes pour notre faim inlassable pédalent, pédalent de jour, de nuit, je suis même réveillé la nuit par la morsure âpre dans la chair molle de la nuit d'une Singer que ma mère pédale, pédale pour notre faim et de jour et de nuit. Au bout du petit matin, au-delà de mon père, de ma mère, la case gerçant d'ampoules, comme un pêcher tourmenté de la cloque, et le toit aminci, rapiécé

de morceaux de bidon de pétrole, et ça fait des marais
de rouillure dans la pâte grise sordide empuantie de la paille,
et quand le vent siffle, ces disparates font bizarre
le bruit, comme un crépitement de friture d'abord,
puis comme un tison que l'on plonge dans l'eau avec la fumée
des brindilles qui s'envole... Et le lit de planches
d'où s'est levée ma race, tout entière ma race de ce lit
de planches, avec ses pattes de caisses de kérosine,
comme s'il avait l'éléphantiasis le lit, et sa peau de cabri
et ses feuilles de banane séchées, et ses haillons,
une nostalgie de matelas le lit de ma grand-mère.

Cahier d'un retour au pays natal, Présence Africaine.

FRÉDÉRIC PACÉRÉ TITINGA

BURKINA FASO

Né en 1943 à Manéga, un village situé à proximité de Oua-
gadougou, « terre de repos » au cœur du vieil empire de
Mossé, Pacéré Titinga exerce la profession d'avocat.
   L'œuvre poétique de Frédéric Pacéré Titinga, qui a obtenu
en 1982 le grand prix littéraire de l'Afrique noire, se com-
pose de six recueils :
   - *Refrains sous le Sahel*, P.-J. Oswald, 1976.
   - *Ça tire sous le Sahel*, id. 1976.
   - *Quand s'envolent les grues couronnées*, id. 1976.
   - *Poèmes pour l'Angola*, Paris, Silex, 1982.
   - *La poésie des griots*, id. 1982.
   - *Du lait pour une tombe*, id. 1984.

Je suis né dans un village

Je suis né dans un village
   Perdu des savanes,
Dans la chaleur du Sahel,
Où la pluie nous vient des rivières !

Chaque pierre
A son histoire !
Chaque feuille,
Son histoire !
C'est le lieu où se retrouvent
Patiemment rassemblés
Dans le cœur des aînés,
Tous les souvenirs des fonds antiques !
C'est
Une terre d'originalité,
Une terre de fidélité,
Où la case comme le ruisseau
Le rocher comme la rivière
Ne sont pas comme ailleurs ;
Où l'homme est producteur,
Et le producteur,
A l'échelle des hommes ;
Où l'artisan
Et le fabricant,
Suivent leur œuvre
Avec une patiente ténacité
Pour lui transmettre le réel d'eux-mêmes.

Refrains sous le Sahel, J.-P. Oswald.

JEAN-BAPTISTE TATI LOUTARD
CONGO

Assise

Me voici en train de veiller
La haute et basse marée de souvenirs
Qui remontent du Royaume de Loango.
Les Dynastes passent et repassent devant mes
    yeux :
Maloango Tati, Mani Puati, Mani Nombo...

Je me suis reconnu au passage
Et je me sens désormais calme ;
J'ai l'œil au chaud près de la Grande Ourse ;
Et cette nuit assise autour de moi
Dans le ventre des coquillages
N'est pas le buisson d'un négrier.
Silence et contemple !
Dans l'eau bleue que le vent remue
Le ciel rince les étoiles
Pour éclairer les temps nouveaux.

Poèmes de la mer, Présence Africaine.

RENÉ PHILOMBE

CAMEROUN

René Philombe, de son vrai nom Philippe-Louis Ombede, est né en 1930 à Ngaoundéré.

Cet écrivain autodidacte s'est essayé avec succès dans pratiquement tous les genres, roman, nouvelle, poésie et théâtre. Fondateur en 1960 de l'Association des poètes et écrivains camerounais (APEC), il peut être considéré comme un authentique écrivain populaire.

Œuvres principales :
- *Lettres de ma cambuse* (Nouvelles), Yaoundé, CLÉ, 1964.
- *Un sorcier blanc à Zangali* (Roman), id. 1969.
- *Histoires queues-de-chat* (Nouvelles), id. 1972.
- *Petites gouttes de chant pour créer l'homme* (Poésie), Yaoundé, Semences africaines, 1977.
- *Africapolis* (Théâtre), id. 1979.
- *Espaces essentiels* (Poésie), Paris, Silex, 1983.

Négritude

Longtemps béat sous le vieux bât
qui me limait les pigments
je me suis enfin réveillé
l'œil rouge
   au rouge
      grondement
         des gongs
            intérieurs.

Je me tâte le pouls et j'entends
tous les bras repentants
de mon sang
qui battent battent dru
le vaste tam-tam des sources inviolées.

Ils m'invitent au minaret tabou
de la régénérescence
ils m'invitent
là-haut
moi et mes totems
sous l'œil vierge de l'Aurore
pour l'incinération totale des échardes.

Ma calebasse pétillera
des sèves pures
de l'ébène
ma calebasse à moi

et je n'aurai plus soif
de moi-même.

in *Neuf poètes Camerounais*, par L. Kesteloot, Clé, Yaoundé, 1979.

FRANCIS BEBEY

CAMEROUN

Francis Bebey est né à Douala en 1929. Après avoir été tour à tour, et simultanément, journaliste, reporter pour la radio, il entre à l'UNESCO pour la radio éducative dans les années soixante et y devient par la suite responsable du Programme de la Musique pour l'ensemble des États membres de l'Organisation. Il démissionne de l'UNESCO en 1974 pour se consacrer entièrement à la création artistique.

Musicien et compositeur (depuis plus de vingt ans il sillonne le monde avec sa guitare), il est surtout connu par son répertoire de chansons populaires.

Mais Francis Bebey est également un écrivain à la plume alerte, et aussi bien ses romans que ses nouvelles décrivent avec beaucoup d'humour la vie quotidienne de l'Afrique contemporaine. On lui doit deux recueils poétiques.

Œuvres principales :
- *Le fils d'Agatha Moudio* (Roman), Yaoundé, CLÉ, 1967.
- *Trois petits cireurs* (Récit), id. 1972.
- *La poupée ashanti* (Roman), id. 1973.
- *Le roi Albert d'Effidi* (Roman), id. 1976.
- *Concert pour un vieux masque* (Poésie), Paris, L'Harmattan, 1980.
- *La nouvelle saison des fruits* (Poésie), Dakar, NEA, 1980.

Musica Africa

Ne me dis plus
Que tu ne connais pas
La mélopée sacrée
Que chantait la rosée
Au matin de la fête.

Ne me dis plus
Que tu as oublié
Le ton triste et doux
Du chant de l'ancêtre
Au matin de la vie.

On t'apprendra des chants nouveaux,
On te donnera des notes argentées,
Brillantes comme le saxophone ;
Au premier rang de l'orchestre ;
On te donnera des notes nouvelles,
Il y en aura sept,
Elles étincelleront
Comme les sept trompettes du dernier matin ;
Elles éclateront
D'octave en octave,
De la base jusqu'au ciel ;
Elles auront en elles
La magie du temps nouveau
Elles chanteront
Le passé glorieux de peuples bâtards,

Elles vanteront
Le présent resplendissant
Des amours sans lendemain ;
Elles auront la magie blanche
Des blancs
Et l'étourdissante envolée
De la trompette de satan.

Elles seront pures,
Elles seront belles...

Tu t'en moques.

Prends cinq notes
Sincères et sans fard
Qu'autrefois Edimo
Arracha à Ngosso ;
Ne chante pas l'espoir de l'étranger,
Chante ton désespoir
Sur des notes d'espérance
Couvertes de pleurs et de soupirs ;

Chante au soir de la danse,
Et comme la rosée
Sur l'herbe fraîche
Du matin de la fête,
Danse les pieds nus
Sur l'herbe morte du couchant,
Et foule aux pieds
Le tapis brûlé par le soleil encore accablant
D'une époque fatiguée.

Musica Africa, in *Anthologie de la poésie Camerounaise*,
P. Kayo, Le Flambeau.

BERNARD ZADI ZAOUROU

CÔTE-D'IVOIRE

Bernard Zadi Zaourou est né en 1938 à Yacolidabré. Professeur à la Faculté des Lettres d'Abidjan, il joue un rôle important dans la vie culturelle de son pays en raison de son activité théâtrale.

Œuvres principales :
- *Fer de lance*, Honfleur, P.-J. Oswald, 1975.
- *Césarienne*, Abidjan, CEDA, 1984.

Trêve de querelle
Doworé
qu'on offre en cheminant une palme au roi
au vrai roi des diseurs de symboles
une palme verte
sur son front, Doworé
pour ma survie.
Ces rameaux de mandragore,
que je les lui tisse de ma main afin que nul
n'ose les truquer du jour où je ne serai plus...

Prends garde que je ne m'égare compagnon des
pistes longues
que me revienne le premier mot car longue encore
la nuit qu'il nous faut vaincre et je ne ressens
- tant mieux pour ma survie - fatigue d'aucune sorte.

Ne comprendra jamais le chant des Morts celui-là
qui n'était pas à Boribana
    Lorsque je chante
    l'on dit que je crie
    J'ai beau vibrer
    on croira toujours que je danse
    J'ai beau grincer
    même les sages croient que je ris
    Et lorsque je chante
    l'on dit que je braille
    Didiga !

Peut-être sommes-nous revenus à la vie sans ce lys
de servitude qui seul pourrait véritablement décliner
notre identité ?

    On nous menace de mourir d'universalité
    Jamais nous ne mourrons de cette mort-là !
    Pourquoi vouloir à tout prix renaître à
    l'éternel été de nos savanes ?

    Didiga !

Et moi je dis aux criquets du ciel
à la dague du ciel
aux bouches de feu
aux grenades ventrues
à leur morale - surtout leur morale -
à tous ces morts ricanant sur mon front dressé :
« dorénavant
ni Socrate ni Platon ni Zénon d'Elée !
J'ai vu surgir des tripes du soir l'ombre d'Ogotommêli.
Le suivaient Koffi Kpékpé, Gbaka Lékpa... et
Waï de Yacolo.

Prosternez-vous au passage du docte cortège et
que prêche Tierno Bokar le sage du Bandiagara.
Nous ressusciterons nos morts ! Et qu'ils soient
célébrés aux quatre rives de notre diaspora ! »

Porte au loin ma chanson
Doworé
Fructifie ma querelle
Longue encore la nuit que nous veillons
Longue et longue
Et je ne dois pas me tromper.

Ébranle la foule et redis après moi, Doworé :
Ils allaient,
Front haut,
Ces conquérants infatigables,
Et leurs têtes noires effrayaient les fauves à l'affût.
Nulle entrave n'inquiétait leurs jambes trempées
Et leurs cœurs étaient de granit.
Sur le chemin de la gloire,
Ni la soif ni la faim n'arrêtaient leur marche.
Le soleil qui chauffe
Et qui d'ordinaire ramollit l'ardeur au combat,
Le soleil les vivifiait,
Eux,
Et décuplait leur souffle inépuisable ;
Et la pluie,
Même l'averse des rudes hivernages
Ne pouvait alourdir leurs pas.
C'étaient des génies infernaux,
Des fils d'invisibles puissances souterraines ;
L'énergie leur venait du sol qu'ils foulaient aux pieds.
Aux menaces du tonnerre insolent,
C'est par un mépris souverain qu'ils répondaient ;
Mais l'éclair qui embrase le sentier obscur les amusait ;
La tempête aussi les amusait,
Parce qu'elle offrait à leurs oreilles brûlantes
Une musique pieuse et guerrière.
Ils allaient,
Ces géants surgis des entrailles du continent.

Apres au combat,
Ils n'avaient de trêve que pour savourer une victoire.
Et c'est pourquoi,
Quand au soir d'une affreuse mêlée où mille et mille
[têtes
d'infâmes tirailleurs étaient tombées sous leurs coups,
Vainqueurs souillés d'un sang indigne et maudit,
Ils emplissaient la plaine de leurs chants glorieux,
Comme un écho sonore,
La voix du peuple qu'ils servaient répondait à leur
[appel...

Fer de lance, P.-J. Oswald.

MASSA MAKAN DIABATÉ

MALI

Massa Makan Diabaté, originaire de Kita, au **Mali,** où il est
né en 1938, a effectué une partie de ses études en Guinée
avant de venir se spécialiser à Paris dans le domaine des
sciences humaines.

De retour à Bamako, où il a occupé d'importantes fonctions administratives, Massa M. Diabaté a publié une série
d'ouvrages qui témoignent de son profond attachement à
la tradition malinké : *Si le feu s'éteignait* (1967), *Kala Jata*
(1970), *Janjon et autres chants populaires du Mali* (1971),
Comme une piqûre de guêpe (Présence Africaine, 1980).

Le lieutenant de Kouta (1979) est le premier volet d'une
trilogie que complètent *le Coiffeur de Kouta* et *le Boucher
de Kouta* (Hatier, 1980, 1982). Dans *le Lion à l'Arc* (Hatier,
1986) Diabaté retrace l'épopée de Sunjata.

Décédé brutalement en janvier 1988 à Bamako, Massa M.
Diabaté n'aura pas vu la publication de sa dernière pièce
de théâtre intitulée : *Une hyène à jeun*, parue aux éditions
Hatier en mai 1988.

Chant à Sun Jata

Étranger à l'aube,
Il a été le soir
Le maître du pays.

Chasseur forcené,
Il est devenu
Un conquérant irréductible.
. . . .

Sun Jata est tel une vieille souche.
Guettez-le, même dans la nuit,
Et il vous guettera.

Oui, gens du Mandé !
Chien de grenier
Ne connaît ni étranger,
Ni autochtone.
Il ne sait que mordre.

Pour longue qu'ait été ta route,
Kala Jata, elle t'a conduit
En un lieu habité.

Désormais, Nare Magan Konate,
C'est à toi qu'appartient le Mandé.

Kala Jata, Éditions Populaires du Mali, Bamako.

VÉRONIQUE TADJO

CÔTE-D'IVOIRE

Née en 1955 à Paris, Véronique Tadjo a effectué l'essentiel
de ses études secondaires en Côte-d'Ivoire, avant d'achever
sa formation supérieure dans le domaine anglo-américain
à la Sorbonne.

Le premier recueil poétique de Véronique Tadjo, *Latérite* a remporté le prix littéraire de l'Agence de Coopéra-
tion Culturelle et Technique en 1983. Écrit comme un long
poème récitatif, *Latérite* est une invitation au voyage dans
l'espace des savanes herbeuses, calcinées par les feux de
brousse, et dans les temps fabuleux de la mémoire ancestrale.

Raconte-moi

*RACONTE-MOI
LA PAROLE DU GRIOT
QUI CHANTE L'AFRIQUE
DES TEMPS IMMÉMORIAUX
IL DIT
CES ROIS PATIENTS
SUR LES CIMES DU SILENCE
ET LA BEAUTÉ DES VIEUX
AUX SOURIRES FANÉS
MON PASSÉ REVENU
DU FOND DE MA MÉMOIRE
COMME UN SERPENT TOTEM
A MES CHEVILLES LIÉ
MA SOLITUDE
ET MES ESPOIRS BRISÉS
QU'APPORTERAIS-JE
A MES ENFANTS
SI J'AI PERDU LEUR ÂME ?*

Latérite, Hatier.

III. DE LA RÉVOLTE
A L'ENGAGEMENT

L'expression de la révolte est l'un des thèmes majeurs qui parcourent la poésie africaine, de ses origines jusqu'à nos jours. Ce sentiment s'exerce naturellement dans un premier temps à l'égard du colonisateur, dont il dénonce toutes les formes d'oppression, qu'elles soient d'ordre politique, économique ou idéologique.

Cette volonté de changer la vie qui anime les pionniers de la Négritude s'accompagne d'une farouche détermination à transformer les conditions d'existence des peuples noirs, détermination dont on retrouve l'écho aussi bien dans le *Discours sur le colonialisme* publié par Aimé Césaire en 1955, que dans son intervention au deuxième congrès des écrivains et artistes noirs de Rome, en 1959. Rappelant l'urgence d'opérer une « bonne décolonisation », Césaire y affirme la responsabilité du poète, sa « mission » dans le combat pour la conquête des libertés.

AIMÉ CÉSAIRE

MARTINIQUE

« Ma bouche sera la bouche des malheurs qui
n'ont point de bouche, ma voix, la liberté de
celles qui s'affaissent au cachot du désespoir. »

La prière virile du poète

Et voici au bout de ce petit matin la prière virile
Que je n'entende ni les rires ni les cris
Les yeux fixés sur cette ville que je prophétise, belle,
Donnez-moi la foi sauvage du sorcier
Donnez à mes mains puissance de modeler
Donnez à mon âme la trempe de l'épée
Je ne me dérobe point. Faites de ma tête une tête de
[proue.
Et de moi-même, mon cœur, ne faites ni un père, ni un
[frère,
Ni un fils, mais le père, mais le frère, mais le fils,
Ni un mari, mais l'amant de cet unique peuple.
Faites-moi rebelle à toute vanité, mais docile à son
[génie
Comme le poing à l'allongée du bras !
Faites-moi commissaire de son sang
Faites-moi dépositaire de son ressentiment
Faites de moi un homme d'initiation
Faites de moi un homme de recueillement
Mais faites aussi de moi un homme d'ensemencement
Faites de moi l'exécuteur de ces œuvres hautes
Voici le temps de se ceindre les reins comme un vaillant
[homme.
Mais les faisant, mon cœur, préservez-moi de la haine
Ne faites point de moi cet homme de haine
Pour qui je n'ai que haine
Car pour me cantonner dans cette unique race
Vous savez pourtant mon amour tyrannique

Vous savez que ce n'est point par haine des autres races
Que je m'exige bêcheur de cette unique race
Que ce que je veux
C'est pour la faim universelle
Pour la soif universelle
La sommer libre enfin
De produire en son intimité close
La succulence des fruits.

Cahier d'un retour au pays natal, Présence Africaine, Paris 1971.

LÉON GONTRAN DAMAS
GUYANE

Et Cætera

*Dans ce texte, dont la publication suscita quelques remous,
Léon G. Damas dénonce le massacre des troupes coloniales,
et en particulier de ceux qu'on désignait indistinctement du
nom de « tirailleurs sénégalais », placés par l'Europe aux
avant-postes d'une guerre qui ne les concernait pas.*

*Devant la menace allemande, les Anciens Combattants Séné-
galais adressent un câblogramme d'indéfectible attachement.*
Les Journaux.

Aux Anciens Combattants Sénégalais
Aux Futurs Combattants Sénégalais
à tout ce que le Sénégal peut accoucher
de combattants sénégalais futurs anciens
de quoi-je-me-mêle futurs anciens
de mercenaires futurs anciens
de pensionnés
de galonnés

73

de décorés
de décavés
de grands blessés
de mutilés
de calcinés
de gangrenés
de gueules cassées
de bras coupés
d'intoxiqués
et patati et patata
et cætera futurs anciens

Moi
je leur dis merde
et d'autres choses encore

Moi je leur demande
de remiser les
coupe-coupe
les accès de sadisme
le sentiment
la sensation
de saletés
de malpropretés à faire

Moi je leur demande
de taire le besoin qu'ils ressentent
de piller
de voler
de violer
de souiller à nouveau les bords antiques
du Rhin

Moi je leur demande
de commencer par envahir le Sénégal

Moi je leur demande

de foutre aux « Boches » la paix

Pigments, op. cit.

LÉOPOLD SÉDAR SENGHOR

SÉNÉGAL

Poème liminaire d'Hosties Noires
(A. L.-G. Damas)

En dédiant à l'auteur de Pigments, *le poème liminaire
d'*Hosties Noires *(le plus militant des recueils du poète), Senghor a sans doute voulu faire écho au poème que Damas avait
publié quelques années auparavant sous le titre « Et Cætera ».
Tout en se défendant de tout ressentiment à l'égard du monde
blanc - déjà dans « Neige sur Paris » il affirmait « Je ne sorti-
rai pas ma réserve de haine » - le poète entend répondre à
la barbarie et à l'inhumanité de l'Occident par une invitation à la fraternité, ce « festin catholique » qui rassemblera
peut-être un jour, au prix d'une révolution sociale, des hommes de toutes races et de toutes conditions.*

Ode aux martyrs sénégalais

Vous Tirailleurs sénégalais, mes frères noirs à la
[main chaude
    sous la glace et la mort
Qui pourra vous chanter si ce n'est votre frère d'armes,
[votre frère de sang ?

Je ne laisserai pas la parole aux ministres et pas aux
[généraux
Je ne laisserai pas - non ! - les louanges de mépris
    vous enterrer furtivement.
Vous n'êtes pas des pauvres aux poches vides sans
[honneur
Mais je déchirerai les rires « banania » sur tous les
[murs de France.

75

Car les poètes chantaient les fleurs artificielles
        des nuits de Montparnasse
Ils chantaient la nonchalance des chalands
        sur les canaux de moire et de simarre
Ils chantaient le désespoir distingué des poètes
                [tuberculeux
Car les poètes chantaient les rêves des clochards
        sous l'élégance des ponts blancs
Car les poètes chantaient les héros, et votre rire
        n'était pas sérieux, votre peau noire pas classique.

Ah ! ne dites pas que je n'aime pas la France
        - je ne suis pas la France, je le sais -
Je sais que ce peuple de feu,
        chaque fois qu'il a libéré ses mains,
A écrit la fraternité sur la première page de ses
                        [monuments
Qu'il a distribué la faim de l'esprit comme de la liberté
A tous les peuples de la terre conviés solennellement
        au festin catholique
Pardonne-moi, Sira Badral, pardonne étoile du Sud de
                        [mon sang
Pardonne à ton petit-neveu s'il a lancé sa lance
        pour les seize sons du sorong.
Notre noblesse nouvelle est non de dominer notre
                [peuple,
        mais d'être son rythme et son cœur
Non de paître les terres, mais comme le grain de millet
        de pourrir dans la terre
Non d'être la tête du peuple, mais bien sa bouche et sa
                [trompette.

Qui pourra vous chanter si ce n'est votre frère d'armes,
        votre frère de sang
Vous Tirailleurs sénégalais, mes frères noirs à la main
                [chaude,
        couchés sous la glace et la mort ?

Hosties noires, Le Seuil.

JACQUES RABEMANANJARA

MADAGASCAR

Jacques Rabemananjara est né en 1913 à Maroantsetra. Formé par les Jésuites, il fonde en 1935 la *Revue des jeunes de Madagascar*. Après ses études de lettres à la Sorbonne, Rabemananjara rentre à Madagascar pour participer à la vie politique de son pays. Arrêté et condamné à mort après les émeutes de 1947, il est libéré en 1956 et retrouve à Paris ses amis de Présence Africaine. Plusieurs fois ministre dans le gouvernement du Président Tsirana, Rabemananjara vit actuellement en exil à Paris.

Principales œuvres poétiques :
- *Antsa*, Présence Africaine, 1961.
- *Andidote*, Présence Africaine, 1961.
- *Les ordalies*, Présence Africaine, 1972.
- *Rien qu'encens et filigrane*, Présence Africaine, 1987.

Antsa

Ile !
Ile aux syllabes de flamme,
Jamais ton nom
ne fut plus cher à mon âme !
Ile
ne fut plus doux à mon cœur !
Ile aux syllabes de flammes,
Madagascar !

Quelle résonance !
Les mots
fondent dans ma bouche :
Le miel des claires saisons
dans le mystère de tes sylves,
Madagascar !

Je mords la chair vierge et rouge
avec l'âpre ferveur
du mourant aux dents de lumière,
Madagascar !

Un viatique d'innocence
dans mes entrailles d'affamé,
je m'allongerai sur ton sein avec la fougue
du plus ardent de tes amants,
du plus fidèle,
Madagascar !

Qu'importent le hululement des chouettes,
le vol rasant et bas
des hiboux apeurés sous le faîtage
de la maison incendiée ! oh, les renards,
qu'ils lèchent
leur peau puante du sang des poussins,
du sang auréolé des flamants-roses !
Nous autres, les hallucinés de l'azur,
nous scrutons éperdument tout l'infini de bleu de la
[nue,
Madagascar ! (...)

La tête tournée à l'aube levante,
un pied sur le nombril du ponant,
et le thyrse
planté dans le cœur nu du Sud,
Je danserai, ô Bien-Aimée,
je danserai la danse-éclair
des chasseurs de reptiles,
Madagascar !

Je lancerai mon rire mythique
sur la face blême du Midi !
Je lancerai sur la figure des étoiles
la limpidité de mon sang !
je lancerai l'éclat de ta noblesse
sur la nuque épaisse de l'Univers,
Madagascar ! (..)

Un mot,
Ile !
rien qu'un mot !
Le mot qui coupe du silence
La corde serrée à ton cou.
Le mot qui rompt les bandelettes
du cadavre transfiguré !
Dans le ventre de la mère
l'embryon sautillera.
Dans les entrailles des pierres
danseront les trépassés.
Et l'homme et la femme,
et les morts et les vivants,
et la bête et la plante,
tous se retrouvent haletants,
dans le bosquet de la magie,
là-bas, au centre de la joie,
Un mot,
Ile
Rien qu'un mot ! (...)

Le mot de l'âge d'or.
Le mot sur le déluge.
Le mot qui fait tourner
le globe sur lui-même !
La fureur des combats !
Le cri de la victoire !
L'étendard de la paix !

Un mot, Ile
et tu frémis !
Un mot, Ile,
et tu bondis
Cavalière océane !

Le mot de nos désirs !
Le mot de notre chaîne !
Le mot de notre deuil !
Il brille
dans les larmes des veuves,

dans les larmes des mères
et des fiers orphelins.
Il germe
avec la fleur des tombes,
avec les insoumis
et l'orgueil des captifs.

Ile de mes Ancêtres,
ce mot, c'est mon salut.
Ce mot, c'est mon message.
Le mot claquant au vent
sur l'extrême éminence !
Un mot.
Du milieu du zénith
un papangue ivre fonce,
siffle
aux oreilles des quatre espaces :
Liberté ! Liberté ! Liberté ! Liberté !

Antsa, Présence Africaine.

FRANÇOIS SENGAT-KUO

CAMEROUN

Ils m'ont dit...

Ils m'ont dit
tu n'es qu'un nègre
juste bon à trimer pour nous
j'ai travaillé pour eux
et ils ont ri

Ils m'ont dit
tu n'es qu'un enfant
danse pour nous
j'ai dansé pour eux
et ils ont ri

Ils m'ont dit
tu n'es qu'un sauvage
laisse-là tes totems
laisse-là tes sorciers
va à l'église
je suis allé à l'église
et ils ont ri

Ils m'ont dit
tu n'es bon à rien
va mourir pour nous
sur les neiges de l'Europe
pour eux j'ai versé mon sang
l'on m'a maudit
et ils ont ri

Alors ma patience excédée
brisant les nœuds de ma lâche résignation
j'ai donné la main aux parias de l'Univers
et ils m'ont dit
désemparés

cachant mal leur terreur panique
meurs tu n'es qu'un traître
meurs...
pourtant je suis une hydre à mille têtes.

Fleurs de latérite, Heures rouges, Clé.

PAUL DAKEYO

CAMEROUN

Paul Dakeyo est né à Bafoussam, en 1948. Passionné d'édition, il a fondé en 1980 sa propre maison d'édition, Silex.

Il n'a pas négligé pour autant son œuvre poétique, forte aujourd'hui de cinq recueils. Sa poésie se veut délibérément militante, et le combat que mène sans relâche Dakeyo le conduit à être présent sur tous les fronts, aussi bien en Afrique qu'en Amérique latine. Il sera donc le rebelle qui s'élève indifféremment contre ceux qui ont tué Lumumba, Cabral, Allende ou Steve Biko. Cet engagement explique le choix d'une écriture directe et efficace.

Œuvres principales :
- *Le cri pluriel*, Paris, Saint-Germain-des-Prés, 1975.
- *Chant d'accusation*, suivi de *Espace carcéral*. Id. 1976.
- *Soweto, Soleils fusillés*, Paris, Éd. Droit et liberté, 1977.
- *J'appartiens au grand jour*, Paris, Saint-Germain-des-Prés, 1979.

Nous reviendrons

Nous reviendrons
Avec la parole
Seule
Dressée comme un éclair
Ténu
Avec le pain
Seul
Pétri de larmes
Et de sang
Versés
Avec une symétrie
De soleil
Pur
Nous reviendrons
Demain

Nous joindre à l'homme
Anonyme
Frémissant dans la nuit
Sur ma terre de bise
Et de froidure
Cruelle
Ma ville en ruine
Se redressant à l'horizon
En flammes
A la densité de notre faim
Quotidienne

Nous reviendrons
Avec nos montagnes
Aux espaces inaccessibles
Et mon chant d'accusation
Armé de pierres de fleuves
D'arbres de présences invisibles
Nos morts qui surgissent
Du sol
Avec leur haine sans recul
Comme autant de tempêtes
Vienne l'heure de la levée
En masse
Vienne l'heure
La colère de mon peuple
Semée de guérilla
Vienne la trame tissée
De nos souffrances
Contre la Négritude lasse
Nous sortirons des forêts
Les plus larges
Dans l'immensité sonore
De ma terre polie de sang
Avec notre cri de syllabes
Denses
Face à la mort
Qui patrouille dans la nuit.

Chant d'accusation, St-Germain-des-Prés.

Je suis le poète

Je suis le poète
l'insaisissable rebelle
L'ami le frère l'amant
Des hommes qui meurent
Dans la brousse
Des hommes qui tombent
Dans les sierras
Ou sur les plages immenses
Avec des cris déchirant le silence
De la nuit noire
Qui les enveloppe
Comme un épais linceul. (...)

Nous irons avec des fusils
Portant la furie
Et ma douleur
Nous serons partout
Je vous le jure
Nous serons partout
Traquant le silence
Jusqu'à la justice
Nos morts aussi
Ressuscités et dressés
Contre l'espace carcéral
Nous serons tous présents
Face à la nuit putride
Frappant de porte en porte
Avec nos soleils
Resculptant les âmes brisées.

Chant d'accusation, op. cit.

JOSEPH MIEZAN BOGNINI

CÔTE-D'IVOIRE

Joseph Miezan Bognini est né en 1936 à Grand Bassam. Il est l'auteur de deux recueils poétiques, *Ce dur appel de l'espoir* (Présence Africaine, 1960) et *Herbe féconde* (P.-J. Oswald, 1973).

L'imprévisible vengeance

Voici ma main droite transformée
　　en épée
Voici ma main gauche changée
　en sagaie
Je les brandis saluant les feux
　du soleil,
Ces armes à transpercer l'épaisse couche
　de brouillard obstruant
　　tout passage.

Passer entre les filières du Néant
Parmi les décombres soutenus
Je sens vibrer l'épée de ma douleur
sur le faîte de l'arbre conservateur.

Et je dis terreur !
Et je dis secours !
Et je dis vengeance !

Ils m'apportent la splendeur du jour
　la couleur verte de la nuit
　L'épi desséché destiné à la volaille,
Que m'importent à présent ces dons innombrables !

On me dit enfant modèle
Vase brisé
Noyau inaltérable du fruit mûr

Objet insalubre :
Que m'importent ces corruptibles éloges !
Je juge le monde comme on juge le criminel.

Je m'assieds sur le seuil de la vie
    mes mains sur la tête
    la pensée dans la paume de la main ;
J'écoute le langage du monde
J'écoute les litanies des oiseaux
J'écoute les paroles des vivants.

Vous étiez mes parrains
    le jour de ma naissance
    Les fossoyeurs de mon adolescence
    les promoteurs de ma croissance
Aujourd'hui vous êtes les démolisseurs
        de ma justice.

Une flamme, l'unique flamme du monde
    qui brille sur mes jours
Ce serait en elle que je prendrai
    toute ma complaisance

L'épée de ma main droite
La sagaie de ma main gauche
La panoplie d'armes efficaces
Que je tiens en moi, destinée
    à l'imprévisible vengeance.

Ce dur appel de l'espoir, Présence Africaine, 1960.

IV. L'INDÉPENDANCE

L'accès à l'indépendance de la plupart des pays africains dans les années soixante a été salué avec enthousiasme par les poètes. Toutefois, le chant de grâce qu'ils entonnent pour saluer la liberté retrouvée se nuance, çà et là, de quelques inquiétudes prémonitoires, bientôt confirmées par la tragédie du Katanga.

En effet, la précipitation inconsidérée avec laquelle a été proclamée l'indépendance de l'ex-Congo belge, le 30 juin 1960, entraîne en particulier dans les jours qui suivent la sécession de la province du Katanga, prélude à une guerre fratricide entre factions rivales.

1. L'aube d'un jour nouveau

Tandis que se dissipe le brouillard de la nuit coloniale, le mot LIBERTÉ s'inscrit en lettres de feu à l'horizon de l'Afrique nouvelle. C'est le moment que choisissent les poètes pour saluer avec ferveur la renaissance du continent libéré.

AIMÉ CÉSAIRE

MARTINIQUE

La libération du nègre

Césaire qui, dès 1939, entrevoit et célèbre la libération de l'Afrique fait figure de prophète. D'où la force de ce poème.

La négraille aux senteurs d'oignon frit retrouve
dans son sang répandu le goût amer de la liberté
Et elle est debout la négraille
la négraille assise
inattendument debout
debout dans la cale
debout dans les cabines
debout sur le pont
debout dans le vent
debout sous le soleil
debout dans le sang
  debout
    et
      libre

debout et non point pauvre folle dans sa liberté et
son dénuement maritimes girant en la dérive parfaite
et la voici :
plus inattendument debout
debout dans les cordages
debout à la barre
debout à la boussole
debout à la carte
debout sous les étoiles
  debout
    et
      libre
et la navire lustral s'avancer impavide sur les eaux
                                  [écroulées.

Cahier d'un retour au pays natal, Présence Africaine.

BERNARD DADIÉ

CÔTE-D'IVOIRE

Nous avons dansé

Nous avons dansé, dansé,
  Secoué nos misères pour faire briller nos rêves,
frappé le sol de toutes nos forces
pour en faire jaillir les flots de chansons.
Le vent, en nos mains repartait en poussière.

  Nos joies en feux d'artifice
  ont illuminé notre ciel.
  Et les pieds endoloris, soufflant au repos
  S'interrogent sur l'étape de demain.

Nous avons dansé, dansé, dansé « jusqu'à fatigué ».

Ils étaient venus aussi, les morts
    nos morts
pour donner de l'éclat à la fête ;
Ils dansaient au rythme des tam-tams
Tous ceux qui faisaient de leur droit de vivre
un bouclier d'airain
des chansons dans la tête
et des rêves dans les yeux.

Ils étaient venus
la peau boursoufflée de balles
Et ils piétinaient le sol pour briser des chaînes
Et ils battaient des mains pour chasser des fantômes.
Nous avons dansé, dansé, dansé « jusqu'à fatigué ».

J'ai les yeux pleins d'images,
    les oreilles pleines de chansons
    les mains pleines de rêves.

J'en ai fait un bouquet lumineux
Que je dresserai un jour au long du sentier
en borne milliaire

Ce sont les images, les chansons et les rêves
de tous ceux qui moururent de faim
de ceux qui hurlèrent d'épouvante dans les incendies
allumés par les foudres de guerre,
de ceux qui pensent que les enseignes
ne peuvent plus être de dorure
lorsque les hommes se vêtent de misère.

Hommes de tous les continents, Présence Africaine.

JEAN-BAPTISTE TATI LOUTARD
CONGO

Mort et renaissance

Que l'écorce du sol s'effondre sous mes pas,
Que la soupape du ciel s'ouvre et me laisse
[entrevoir
La haute niche du soleil ou l'immense portée des étoiles,
Je ne m'effraierai point.

La Mort m'appelle ? Est-ce qu'elle me présente au moins
Une glace, une plaque de lumière où lire
Mon profil d'outre-tombe ?

Je suis une branche sémillante de ce monde,
Mes songes prospèrent parmi les rayons
Et non dans le fourmillement morne des mollusques :
Je me balance au vent ;

Je m'enivre de tous les dons du jour et de la nuit,
Je cueille au passage les oiseaux ivres de l'espace : tenez !
Le colibri vient ici chaque matin dans ma portion de rosée
Puiser la source de son cri !
Comme lui je m'élance toujours plus haut et plus loin,
Personne ne me voit prospérer à l'ombre de mon secret ;
Je ne répondrai pas à cet appel qui sourd des buissons
De la nuit.

Que la mer se retourne sur la mer avec sa cargaison
De sel et de poissons ! Que le ciel craquelle son lambris
[d'azur !
Que le soleil éclate en un tourniquet de feu !
Pourquoi pas d'abord les éléments ?

Je suis à l'aube d'un peuple qui commence une marche :
Puissé-je le voir sortir de sa mue dans toute la sueur
De son âme, comme le soleil sort de la marche du Levant
Dans une grande transpiration de Lumière !

Les racines congolaises, P.-J. Oswald.

PAULIN JOACHIM

BENIN

Paulin Joachim est né à Cotonou, en 1931. Après avoir été un temps le secrétaire de Philippe Soupault, il se lance dans des études de journalisme et collabore à *Présence Africaine* et *Tam-Tam*. Puis, en 1960, il prend la direction de *Bingo*.

Fortement marquée à ses débuts par l'empreinte des surréalistes, l'œuvre de Paulin Joachim fait entendre dans la poésie africaine une voix singulière, non tant par les thèmes abordés, que par une écriture marquée à la fois par des ruptures prosodiques délibérées et par un sens inné du rythme.

Œuvres principales :
- *Un nègre raconte*, Paris, Durocher, 1954.
- *Anti-grâce*, Présence Africaine, 1967.
- *Oraison pour une Re-naissance*, Paris, Silex, 1984.

Pour saluer l'Afrique à l'envol rendu libre

. . . .

Mais d'abord pour hisser au fin bout du mât
les couleurs épicées du plus bel athlète
qui reprend sa course interrompue par décret
des omnipotents enfants du premier lit
ses foulées invincibles désormais seront les pulsations
de l'univers ses muscles saillants
les piliers de soutènement de la demeure qui s'effondre

mais d'abord pour chanter le triomphe du dur désir
de vivre
le pied posé dans l'avenir le retour du plain-chant
la verve retrouvée le vertigo réinstallé dans le sang
et le tam-tam
le tam-tam qui réinvente le Nègre et l'Afrique
et le poème exalté des rythmes qui brûle au fond
des reins et toute cette procession de sous-hommes
dans le brasier de l'été reconquis

qui se dépouillent frénétiquement d'une sous-vie
imposée
pour se vêtir de leur substance spécifique pour devenir
ce qu'ils sont

l'ordure de destin c'était hier
hier et le relent de la pourriture hier une immense
liberté de mourir
l'envol entravé et la vie même plus irréelle
qu'une étoile perçue dans une hallucination
hier inondé de larmes tandis qu'autour l'univers
se vautrait dans ce délire qui soutient ou invente la vie
hier repu de vide et disjoint du rythme qui entraîne
le monde
j'y croyais cependant en un autre destin
j'y croyais de toute mon incapacité de croire
un autre soleil régnait déjà sur le champ
de ma conscience

ils se croyaient malins les architectes de mon absence
qui pensaient m'avoir à jamais enterré dans la banlieue
la plus éloignée de la vie mais le tunnel de la mort
j'en ai vite fait une cime et je m'y trouvais nanti
d'une torche qui éclairait le jeu de mes brassées
ma laborieuse navigation dans les eaux où j'étais
condamné à m'annuler
où se détérioraient les racines de mon être
où s'amincissait mon sang et où dans mes veines
ruisselaient des larmes des larmes
et je dis que cette torche du salut

que cette incandescence voluptueuse du malheur
qui aura vu danser dans une émouvante beauté
les premiers paysages de ma maturation
je dis que cette torche était un défi aux cendres
la résurrection déjà la victoire tendue d'un peuple
qui n'entendait plus ni continuer à ramper
dans l'ombre des jours
ni être acculé à se conclure

déjà un pied neuf poussait à la profondeur mutilée
la forme intérieure mise à sac se rétablissait
ma race déjà récupérait lestement son tabouret perdu
et bientôt elle pourra suivre sur l'écran de son avenir
le vertigineux ballet de la farce des lendemains

voici l'andante du reflux
j'entends mon sang qui rebrousse chemin
et sa protestation hurlée contre l'irréversible
selon les maîtres à penser je vois le Nègre foudroyé
qui se ramasse sur son contingent d'existence
un Nègre investi d'un principe dynamique
je me vois la torche à la main
piqué sur ce haut rocher bordé d'écumes couleur
d'espoir
où j'ai eu un matin la vision violente des choses
grandes et belles
que ma race pouvait inscrire sur sa trajectoire
je salue l'Afrique à l'envol rendu libre
c'est l'expiration de ta peine ô ma mère et j'exulte
ils ont érigé leurs fortunes et leurs empires sur ton
innocence et sur ta timidité
je salue ma Négritude mon orgue à liqueurs
cette lumière de lente cuisson
pentecôte solaire qui s'enfonce dans les entrailles
de la race pour y réveiller les vigueurs éteintes
je te salue sève somptueuse surgie du fin fond des âges
pour irriguer le poème collectif
tu n'es ni vaine discoureuse ni faiseuse d'ergo-glu
mais tu es la chance du monde et tu seras la force
de l'Afrique si la soif de puissance chez ses enfants
le délire des grandeurs ne compromettent pas sa maturation intérieure

ô Seigneur choisis pour ce peuple mien de bons bergers
et non pas de frénétiques ambitieux qui ne travailleront
que pour leur promotion au rang d'idoles
je salue l'Afrique libre.

Paris, Septembre 1960. *Anti-grâce*, Présence Africaine.

CHARLES NGANDÉ

CAMEROUN

Charles Ngandé est né à Douala en 1934.
Prêtre de son état, il est l'auteur d'une poésie forte et
dépouillée.

Indépendance

Nous avons pleuré toute la nuit
Jusqu'au chant de la perdrix
Jusqu'au chant du coq
Nous avons pleuré tout la nuit
O Njambé tu étais pourtant là
Quand on coupait les oreilles
Quand on coupait le cordon ombilical de notre clan
Quand on fracassait le crâne de notre Ancêtre
Quant on brûlait le chasse-mouche de notre aïeul.
Ina ô ô ô ô !
Où retrouver la tombe de l'Ancêtre
Perdus nous étions comme mouton qui casse sa corde.
Ina ô ô ô ô !
Dans quelle source repimenter notre sang
Perdus nous étions comme pauvre chien bâtard
Errant sur la place du marché !

Nous avons pleuré toute la nuit
L'étape a été longue
Et la perdrix a chanté timidement
Dans un matin de brouillard
Chants illuminés de cataractes d'espérance
Espérance d'une aurore aux dents de balafons.
Et la perdrix s'est tue
Car son chant s'est éteint dans la gorge
D'un Python.

Et le tam-tam s'est tu
Et le grelot n'a plus ri sur la jaune savane

Et le deuil a planté sa case dans la cour du village.
Sang ! Sang ! Sang !
Torrents de sang !
Femmes, terrez-vous le soir dans vos enclos :
Le Fusil passe.

Nous avons pleuré toute la nuit
Et le coq a chanté sur la tombe de l'Ancêtre
Ah ! ces os poussiéreux
   qui se mettent à gambader
   comme des antilopes et comme des gazelles
Njambé, c'est bien toi qui as ourlé
   sur la tête du coq cette langue de soleil parce
   que son gosier roule une cascade de lumière
Et le coq a clamé l'aube du grand départ
Et le coq a chanté sur le front de la pirogue
IN-DÉ-PEN-DAN-CE !
   Venez, filles de mon peuple
Le soleil s'est levé
Voilà la tombe de l'Aïeul
Et le grand fromager des vertes parentalies
Et la source sacrée où nous repimenterons
La force de notre sang

Et voici le nombril de la grande famille
Venez, filles de mon peuple
Vaillants carquois de nos flèches emplumées
Remontez, brisez vos parcs, femmes longtemps en
   jachère.

Remontez sur la croupe des étoiles filantes
Venez, battez des mains, crépitez et dansez
Sur un pied, sur deux pieds, sur trois pieds
Tambours, grelots, bois sec
grelots, tambours, bois sec
Rythmez les mâles vibrements d'un peuple qui se lève
Que vos rires se mêlent aux antiques sanglots.

Hommes de mon peuple
Venez tous, venez toutes

Nous allons tous tresser une même couronne
Avec la liane la plus dure de vierge forêt
Sous le grand fromager où nous fêtions nos parentalies
Et le soir, nous danserons autour du même feu
Parce qu'ensemble, sur la tombe de l'Aïeul,
Nous aurons fait germer une grande Cité.

Neuf poètes camerounais, L. Kesteloot, Clé.

AMADOU MOUSTAPHA WADE

SÉNÉGAL

Amadou Moustapha Wade est l'auteur d'un recueil poétique intitulé *Présence* (Présence Africaine, Paris, 1966).

Ghana

*A l'occasion de la proclamation de l'Indépendance
du GHANA*

Un rythme majeur me monte aux lèvres...
Qui me dira ce soir la musique des villages
Celle couchée dans quelques lagunes
Qui me dira ce soir
L'espoir surgi du fond des siècles ?

Je ne sais joies plus délirantes
Que celles des tam-tams ivres
Je ne sais joies plus lancinantes
En l'arc tendu de GUINÉE
Ah ! Si rien n'étouffait mon cœur
Quel « Back »[1] surgirait de terre

1. « *Back* » : Chant de triomphe (wolof).

A tous les recoins de l'Afrique
Où festoient les vautours !
Je ne sais espérance plus douloureuse
Dans la forêt musicienne
Je ne sais joies plus lancinantes
En l'arc tendu de GUINÉE

C'est pourquoi GHANA
     Grappe féconde
     Fleuve originel
Nous ferons se lever les Amazones
Nous rassemblerons les terres disséminées
Nous vêtirons les aubes enguenillées
Nous remplirons toutes les mains
De semences et de fruits.

Présence, Présence Africaine.

JEAN-MARIE ADIAFFI

CÔTE-D'IVOIRE

Jean-Marie Adiaffi est né à Bettié, dans l'est de la Côte-d'Ivoire, en 1941. Après des études de cinéma à l'I.D.E.H.C. (Institut des Hautes Études Cinématographiques) et un stage de réalisateur télé au studio-école de l'O.C.O.R.A. à Paris, il se tourne vers la philosophie et obtient sa licence à la Sorbonne.

Couronné en 1981 par le Grand Prix littéraire d'Afrique noire pour son roman *la Carte d'Identité* (Paris, Hatier, 1980), Jean-Marie Adiaffi a entrepris de construire une œuvre littéraire qui s'articule autour de deux volets symétriques, prose romanesque et poésie. Ainsi, à ce premier roman répond un premier recueil poétique, *D'Éclairs et de foudres* (Abidjan, CEDA, 1980), de même que *Galerie infernale* (Abidjan, CEDA, 1984) annonce le deuxième roman, *Silence, on développe* (à paraître chez Hatier).

Que me veux-tu, liberté ?

Cet extrait clôt le recueil de Jean-Marie Adiaffi, Galerie infernale. Long poème d'inspiration orphique, il évoque la lutte des peuples africains pour leur libération et s'achève sur l'aube d'un jour nouveau qui a nom « indépendance ». Toutefois, à l'euphorie de la liberté retrouvée succède bientôt l'angoisse du poète qui sait la fragilité de l'espoir.

Que me veux-tu, liberté ?
   Quel est ton dessein ?
Quel est ton destin ?
Quel est ton nom ?
Enfant terrible des cimes
     Orpheline
     sans père, ni mère
     Liberté vierge
Vierge liberté anonyme comme
mon visage sans parure
     Qui te baptisera ?
     Qui te donnera un nom
     digne de toi ?

Dans quel fleuve cruel va-t-on plonger
ton front altier,
Ta tête rebelle
Vie naissante
Quelle mort tu nous prépares dans les sillons
Que tu excites de ton dard immortel
   regrets
     Tristesse
        Remords
           Gloire

Solitude, O douloureuse solitude
     Liberté
     Solitaire liberté
     Solidaire liberté
     Commune liberté

Aurais-tu la patience d'aimer ta fiancée
Telle qu'elle est dans la beauté torrentielle
de sa jeunesse féconde, cruelle,
de l'amour partagé
ou préfères-tu les chaînes, les menottes
et la paix ?
La triste paix
La stérile paix des baïonnettes
L'ennuyeuse paix des sabres
La fausse paix des cimetières
Le bonheur,
Le faux bonheur de l'injustice instituée
La joie
La fausse joie de la tyrannie domestique
La paix des vieux ménages
moribonds et déserts (...)

Liberté, liberté tu es née
Corps mon beau corps
à ta vigueur je reconnais
ta miraculeuse guérison

De douloureuse césarienne tu es née

Mais quelles prisons
tes monstrueux seins vont-ils encore
enfanter demain ?
Quelles chaînes tes mains
encore ceintes de cicatrices d'hier
vont-elles inventer demain ?

  Liberté créatrice
réponds-moi
Hors de quelle nuit
cette frêle aurore

cette lumière vacillante
mais déjà fière et conquérante
cette blème, douce et voluptueuse
lueur

va-t-elle saillir ?
Héroïque et lâche liberté
quel est le nom de l'enfant
  qui va
      NAÎTRE ?

Galerie infernale, CEDA.

2. Le désenchantement

Guetteur de l'aube, le poète est également la conscience exigeante de son temps. Alors que la Terre promise paraît chaque jour s'éloigner un peu plus, des voix se font entendre pour dresser un tableau de faillite et dénoncer « les chaînes que le Nègre met au cou du Nègre ». C'est le temps du désenchantement et de la désillusion.

BERNARD DADIÉ

CÔTE-D'IVOIRE

Chaînes

Quelles sont lourdes, lourdes, les chaînes,
  Que le Nègre met au cou du Nègre.
Pour complaire aux maîtres de l'heure.

De grâce n'arrêtez pas l'élan d'un peuple !
Brisons les chaînes, les carcans, les barrières, les digues.

Pour inonder l'univers en eaux puissantes
qui balaient les iniquités.

Quelles sont lourdes, lourdes les chaînes
Que le Nègre met aux pieds du Nègre
Pour complaire aux maîtres du jour !

Lourdes, les chaînes,
lourdes, lourdes,
les chaînes que je porte aux mains.

Que tombent tous les bâillons du monde !!

Hommes de tous les continents, Présence Africaine.

WOLE SOYINKA

NIGÉRIA

Né en 1934 à Abeokuta, en pays Yoruba, Wole Soyinka a fait ses études au Nigéria jusqu'en 1954 ; puis il part à l'Université de Leeds en Grande-Bretagne et passe deux ans au Royal Court Theatre. De retour au Nigéria en 1960, il devient un ardent défenseur de la liberté. Il est emprisonné en 1967 pour « conspiration » avec la rébellion biafraise. Libéré en 1969, il s'exile quelques années au Ghana et à Londres, puis séjourne dans plusieurs universités en Europe et aux États-Unis pour y poursuivre ses recherches théâtrales.

Romancier, poète, essayiste et dramaturge, Wole Soyinka est actuellement professeur de littérature comparée et directeur du département d'art dramatique de l'université d'Ifé, au Nigéria. Il est également président de l'institut international de théâtre qui dépend de l'UNESCO. Il a obtenu le prix Nobel de littérature en 1986.

Œuvres disponibles en langue francaise :

Théâtre
- *Le lion et la perle*, Clé, 1968.
- *La danse de la forêt*, P.-J. Oswald, 1971, L'Harmattan.
- *Les gens des marais* suivi de *Un sang fort* et *Les tribulations de Frère Jéro*, J.-P. Oswald, 1971, L'Harmattan.
- *La métamorphose de Frère Jéro*, Présence Africaine, 1986.
- *La mort et l'écuyer du roi*, Hatier, 1986.
- *La Route*, Hatier, 1988.

Romans
- *Les interprètes*, nouvelle traduction à paraître chez Présence Africaine, 1988.
- *Une saison d'anomie*, Belfond, 1987.

Poésie
- *Idanre*, Les Nouvelles Éditions Africaines, 1982.
- *Cycles sombres*, Silex, 1987.

Témoignages
- *Aké, les années d'enfance*, Belfond, 1984.
- *Cet homme est mort*, Belfond, 1986.
- *Que ce passé parle à son présent*, (Discours de Stockholm), Belfond, 1987.

Moisson de haine

Et maintenant le soleil se meurt en plein matin
Et le rire se dessèche sur les lèvres du vin
Les frondaisons des palmes déchiquetées se hérissent
Sur l'huile des palmistes des éruptions surgissent

Le foyer est criblé d'une fournaise de dents
Et les airs s'alourdissent d'un nuage d'encens
Les ailes humides encore du sanctuaire des nids
Tombent sans plumes au feu en tribut de leur vie

Les vieilles abdications maintenant se paient cher
L'enfant fait face aux flammes allumées par ses pères
Aux flambées trop intenses en leur brièveté
Se ride un héritage d'avenirs éclatés

Pourquoi cette moisson au moment du grandir
Ces discordances quand nous voulions les soupirs
De pétales, les bourgeons se gonflant de leur vin
Aux pluies d'août et les chants aux verdures sans fin

Cycles sombres, Silex.

BARTHÉLÉMY KOTCHY-NGUESSAN

CÔTE-D'IVOIRE

Barthélémy Kotchy-Nguessan est né à Grand Morié en 1934. Universitaire, professeur à la Faculté des Lettres d'Abidjan, Barthélémy Kotchy est également le fondateur du groupe de recherches sur les traditions orales en Côte-d'Ivoire.

Dans *l'Olifant noir* (Abidjan, Ceda, 1982), il se montre à la fois attentif à la condition des humbles et toujours très réceptif à l'univers du village.

Les paysans

Aux paysans africains

Ils sont paysans ils sont combattants
De leurs mains de pierre ils ont labouré défriché
  pioché
La terre de l'homme Blanc
Leur corps d'ébène a rougi aux coups de fouets
Ils ont crié des cris de larmes
Ils sont paysans ils sont combattants
Ils ont combattu sans arme avec foi
Ils ont frayé la voie au Messie-Noir
Ils ont déversé leur espoir dans son champ
mais le Messie-Noir s'en est allé ivre de joie, seul
Dans la Terre-Promise
Les paysans sont figés en haillons
Sur le Mont Nebo
Ils sont paysans ils sont combattants.

L'Olifant Noir, Ceda, 1982.

MAXIME N'DEBEKA

CONGO

Maxime N'Debeka est né à Brazzaville en 1944. De formation scientifique, N'Debeka a été un militant actif au sein
de la jeunesse du mouvement national de la révolution congolaise. Nommé en 1968 Directeur général des affaires culturelles, il tombera en disgrâce quatre ans plus tard. Arrêté,
incarcéré, un moment menacé de mort, Maxime N'Debeka
a été libéré en 1973. Il vit actuellement en exil à Paris.

Œuvres principales :
- *Soleils neufs*, Yaoundé, CLÉ, 1969.
- *L'oseille/Les citrons*, Honfleur, P.-J.- Oswald, 1975.
- *Les signes du silence*, Paris, Saint-Germain-des-Prés, 1978.

980 000

Encore une année
Grillant au soleil des œufs vides
Une année creuse
Une année qui ne porte
Aucune trace de temps
Une année qui n'a pas existé
Année méconnue
Hier elle boitillait
Aujourd'hui elle se raccourcit
Encore une année
Aussi petite qu'un atome
Prise et rongée par des ombres
Les jours ont raccourci
La lune perce à peine la nuit

Osera-t-on demander au soleil
Pourquoi sa route est moins longue
Osera-t-on demander à la lune
Si les couloirs de la nuit sont déserts
Osera-t-on se demander
Pourquoi les seins des femmes sont secs
Pourquoi les fleuves ont tari

Pourquoi les greniers de la terre suintent
Pourquoi les réservoirs du ciel sont vides
Pourquoi la vie diminue
Pourquoi la vie diminue ici et
Pourquoi elle s'allonge là

Un côté ne nourrit-il pas un autre
Qui osera - Qui osera - Qui osera

Nous oserons

980 000 nous sommes
980 000 affamés
        brisés
        abrutis

Nous venons des usines
Nous venons des forêts
              des campagnes
              des rues
Avec des feux dans la gorge
        des crampes dans l'estomac
        des trous béants dans les yeux
        des varices le long du corps
Et des bras durs
Et des mains calleuses
Et des pieds comme du roc

980 000 Nous sommes
980 000 Ouvriers
        chômeurs
        et quelques étudiants
Qui n'ont plus droit qu'à une
              fraction de vie

L'usine produit
La terre est fertile
Deux plus deux, c'est bien
        quatre pourtant

De nuit comme de jour
La cheminée de Kinsoundi fume

De nuit comme de jour
Le paysan songe à son champ
De nuit comme de jour
L'étudiant est tendu
Vers son diplôme
Année après année
Un milliard de plus

Mais pour nous la vie diminue
Les gorges sont des déserts
Les ventres des océans en colère
Les yeux des oubliettes
Les corps des oranges sucées

Nous venons des usines
Nous venons des forêts
                des campagnes
                des rues
Nous ne levons plus nos yeux
Vers les étoiles du ciel
Nous avons brûlé nos prie-dieu
Pour éclairer les couloirs
        sombres de la terre

Nous venons à 980 000
Nous entrons sans frapper
Et apparaissent 20 000
20 000 prophètes
20 000 qui font des miracles
Mercédès dans leurs pieds
La soif désaltère
La faim nourrit bien
Des greniers bourrés
Pendent au bas du ventre
Jolis, jolis bien jolis miracles

Mais nous ferons nous-mêmes
                        nos miracles
Nous ferons nous-mêmes

Pour nous-mêmes
                    nos miracles

Finis les jours raccourcis
Nous ne voulons plus de mise à sac
                    plus de castes
                    plus de prophètes
                    plus d'ombres noires
                    plus de couloirs obscurs
                    plus de fonction publique gloutonne

Nous allons briser
                    tous les murs
Nous allons briser
                    les couloirs
Où 20 000 se terrent
Où les greniers de la terre
Regorgent de tout notre riz
                    de toutes nos pommes de terre
                    de tout notre sucre
                    de tout notre tabac
                    de tous nos tissus
                    de toute notre vie

Venez, venez vous tous
        Paysans ouvriers
        Chômeurs étudiants
La terre est pour tous
20 000 s'en sont emparés
Mais nos têtes rasées
                    enfumées
                    calcinées
Saisissent tout de même
Aujourd'hui les mathématiques
Un million moins 20 000
Nous sommes 980 000
Nous sommes les plus forts
Arrachons notre part

L'oseille/Les citrons, P.-J. Oswald.

Noël X. ÉBONY

CÔTE-D'IVOIRE

Noël X. Ébony est né en 1944 à Tanokoffikro, aux confins de la Côte-d'Ivoire et du Ghana. Après des études de journalisme et de théâtre à Dakar, il a accompli l'essentiel de sa carrière dans les milieux de la presse. Au moment de sa mort, survenue accidentellement à Dakar, en juillet 1986, il était le rédacteur en chef du magazine international *Africa*.

Déjà vu (Éd. Ouskokata, Paris, 1983), fruit d'un labeur de dix années, révèle un authentique tempérament de poète profondément marqué par l'éducation traditionnelle Akan.

Ébène ébènes que d'ébènes
je suis l'ébène des chicottes et des matraques
je suis l'ébène tête de turc des têtes d'état
l'ébène des lendemains de fête nationale - serrons
la ceinture - retroussons les manches
l'ébène entassé dans les caves des navires
étouffé sous mille lieues à l'approche de sir wilberforce
soldé sur les marchés de la jamaïque
je suis l'ébène de la détérioration des termes de l'échange
nord-sud tiers-monde pvd
je suis l'ébène qu'on empoche
qu'on enfile
qu'on empile
qu'on empale
qu'on emballe
qu'on déballe
qu'on offre
qu'on coffre
qu'on vend et revend
je suis le cri de la plaine au lever du soleil
ébène pour cent
ébène de peurs pleurs frayeurs
ébène de sueurs je suis
encor
ébène

Déjà vu, Ouskokata, 1983.

ÉTIENNE NOUMÉ

CAMEROUN

Étienne Noumé est né à Bangou, en 1944. Auteur de plusieurs textes remarqués, il aurait depuis 1970 sombré dans la démence.

Angoisse quotidienne

Quand viendra la rigueur
des saisons orageuses
ébranchant les dômes
des futaies sauvages,

où fuirai-je
la chute meurtrière
des poutres sur les crânes
Quand, froissant, étirant
les cheveux de jungle
l'ouragan dans ses bras
tordra toute la terre,
où dormirai-je,
la paille de mon toit
volant à tous les vents
où fuirai-je,
la fureur des torrents
balayant tous mes champs,
roulant des alluvions
pour fumer le vallon
                Où
germera l'Avenir
en heureuses ombelles ?

in *Anthologie de la poésie camerounaise*, P. Kayo, Le Flambeau.

VÉRONIQUE TADJO

CÔTE-D'IVOIRE

QUEL FARDEAU PORTEZ-VOUS
EN CE MONDE IMMONDE
PLUS LOURD QUE LA VILLE
QUI MEURT DE SES PLAIES ?
QUELLE PUISSANCE
VOUS LIE A CETTE TERRE FRIGIDE
QUI N'ENFANTE DES JUMEAUX
QUE POUR LES SÉPARER ?
QUI N'ÉLÈVE DES BUILDINGS
QUE POUR VOUS ÉCRASER
SOUS LES TONNES DE BÉTON
ET D'ASPHALTE FUMANT ?

VOUS LES MANGEURS
DE RESTES
LES SANS-LOGIS
LES SANS-ABRI
QUEL REGARD PORTEZ-VOUS
SUR L'HORIZON EN FEU ?

Latérite, Hatier.

V. L'EXIL

Pour des raisons qui tiennent à la fois aux confrontations interéthniques, aux turbulences politiques ou à l'ampleur des calamités naturelles, des hommes et des femmes sont contraints d'abandonner leurs foyers. La détresse qu'engendre l'exil éclate en accents pathétiques.

1. L'exil du dehors

Pour tous ceux que l'exode entraîne hors des frontières du pays natal, toutes solidarités rompues, il ne reste souvent en partage qu'amertume, solitude et nostalgie.

FERNANDO D'ALMEIDA
CAMEROUN

Fernando D'Alméida est né en 1955 d'une mère camerounaise et d'un père béninois d'origine brésilienne. Peu connu du grand public, cet écrivain secret apparaît très marqué par la poésie de Saint-John Perse. Il est l'auteur d'une œuvre exigeante déjà forte de quatre recueils :
- *Au seuil de l'exil*, Honfleur, P.-J. Oswald, 1976.
- *Traduit du je pluriel*, Dakar, NEA, 1980.
- *En attendant le verdict*, Paris, Silex, 1982.
- *L'espace de la parole*, Id, 1984.

Au seuil de l'exil

Une cloche de deuil a sonné au seuil de l'exil
et la tornade du matin a tonné vers la mer
....

tu marcheras le cœur au poing
tu mâcheras un soir l'amer kola du veuvage
sur le désert nostalgique de ta naissance
une cloche d'alarme une cloche d'alarme
qu'importe l'aigreur des mots hongres
tu seras ici au carrefour des vents dénudés
sur la barque qui tangue
sur la pirogue qui chavire
tu viendras au bout du petit matin
écouter le chant du griot
entendre la voix des eaux

ton royaume sera de nostalgie
ton langage la prison d'un exil
Absente Absente Absente
l'harmattan est venu
l'harmattan est venu
un matin
un câlin
matin
et le ressac de mer
et la peur de dire
et le courage de tuer...

Une cloche de deuil a sonné au seuil de l'exil
et la tornade du matin a tonné vers la mer
....

Au seuil de l'exil, P.-J. Oswald.

FRANCIS BEBEY

CAMEROUN

Je suis venu chercher du travail

Je suis venu chercher du travail
J'espère qu'il y en aura
Je suis venu de mon lointain pays
Pour travailler chez vous

J'ai tout laissé, ma femme, mes amis
Au pays tout là-bas
J'espère les retrouver tous en vie
Le jour de mon retour

Ma pauvre mère était bien désolée
En me voyant partir
Je lui ai dit qu'un jour je reviendrai
Mettre fin à sa misère

J'ai parcouru de longs jours de voyage
Pour venir jusqu'ici
Ne m'a-t-on pas assuré d'un accueil
Qui vaudrait bien cette peine

Regardez-moi, je suis fatigué
D'aller par les chemins
Voici des jours que je n'ai rien mangé
Auriez-vous un peu de pain ?

Mon pantalon est tout déchiré
Mais je n'en ai pas d'autre
Ne criez pas, ce n'est pas un scandale
Je suis seulement pauvre

Je suis venu chercher du travail
j'espère qu'il y en aura
Je suis venu de mon lointain pays
Pour travailler chez vous

Inédit.

JEAN-BAPTISTE TIÉMÉLÉ

CÔTE-D'IVOIRE

Né en 1933 à Céchi-Agboville, Jean-Baptiste Tiémélé consacre l'essentiel de son temps à sa carrière de comédien, mais il est également l'auteur de deux recueils poétiques, *Chansons païennes* (P.-J. Oswald, 1969) et *Ce monde qui fume* (St-Germain-des-Prés, 1981).

A la fête des ignames

S'il existe ailleurs
Un autre monde
Ancêtres qui m'écoutez
Invisibles
Prenez en compte
Ma peine
Ma peine profonde :
Mes fils, partis à la dérive,
Connaissent mille misères quotidiennes.
Leurs cris angoissés de par les mers
Me parviennent
M'arrachent le cœur
M'étourdissent.
Protégez-les désormais.
Guidez leurs pas.
Dites-leur que je les attends
Avec tous les souvenirs
Autour de ce nvoufou d'igname
Auquel je vous supplie de goûter les premiers.
Dites-leur qu'aucun voyage n'est infructueux
Que leur mère les espère
- L'eau lustrale à la main -
Pour combler l'absence.
Ce vin de palme que je verse
Ce nvoufou que je répands

Sont des produits du patrimoine que vous m'avez légué.
Acceptez-les.
A l'écoute de votre message
Sur l'aile de l'oiseau voyageur,
Dès aujourd'hui, je demeure

27-1.1974.

Chansons païennes, P.-J. Oswald, 1969.

DENNIS BRUTUS

ZIMBABWE

Dennis Brutus est né au Zimbabwe, en 1924, de parents sud-africains. Diplômé de Fort Hare en 1947, il a vécu et enseigné à Port-Elisabeth jusqu'à ce qu'on lui interdise d'assister à toute assemblée publique en 1961. Après dix-huit mois de travaux forcés et un an de résidence surveillée pour opposition à l'apartheid, Dennis Brutus a quitté l'Afrique du Sud en 1966. Il a beaucoup voyagé et s'est établi à Londres avec sa famille. Il est Directeur de la Campagne Mondiale pour la Libération des Prisonniers Politiques en Afrique du Sud, et Président du Comité Olympique Non-racial d'Afrique du Sud qui a victorieusement fait campagne pour l'exclusion de l'Afrique du Sud des Jeux Olympiques.

Œuvres principales :
- *Sirens, Knuckles, Boots*, Mbari, 1964.
- *Letters to martha*, Heinemann, 1968.
- *Poems from Algiers* ;
- *Thoughts Abroad* ;
- *A Simple Lust*, Heinemann, 1973.

Je suis l'exilé

Je suis l'exilé
l'errant
le troubadour
(quoiqu'ils en disent)

je suis doux, et paisible,
l'allure distraite
absorbé par les plans,
poli à en être servile

mais les grottes de mon cœur sont remplies de
[lamentations,

et dans ma tête,
par-delà mes prunelles tranquilles,
j'entends les cris et les sirènes.

in *L'aube d'un jour nouveau*, Catherine Belvaude, Paul Dakeyo, Silex.

2. L'exil du dedans

Mais il est une forme d'exclusion encore plus pernicieuse que l'éloignement du pays natal, c'est celle qui consiste à transformer les hommes et les femmes en étrangers au sein de leur propre pays. On aura reconnu le système de l'apartheid, en vigueur en Afrique du Sud.

THÉOPHILE OBENGA
CONGO

Théophile Obenga est né en 1936 à Brazzaville. Cet universitaire fasciné par l'Égypte s'inscrit dans la tradition des travaux de Cheikh Anta Diop. Actuellement directeur du CICIBA (Centre d'Études et de Recherches Bantou), Théophile Obenga est l'auteur d'un recueil poétique, *Stèles pour l'avenir* (Présence Africaine, 1978).

Liberté pour le Cap

à Dennis Brutus,
poète de l'ère de Sharpeville

Les voici
BRUTUS
nos certitudes
sans couture
sur cette hauteur de Rome
lorsque tu parlais de ton peuple :
« Mon peuple est torturé
« Mon peuple est dans la mort. »
La cendre de ton discours
m'est restée depuis
sur les lèvres
les filles romaines
elles-mêmes étaient tristes
Ta poésie fait alliance
avec le corsage du Cap
toute cette Colère
claustrée
de trois siècles
Voici Soweto
terre haute
d'avant-midi
à toute heure debout
Et vous Sharpeville
encerclée par le désespoir

la peur et la révolte le sang
Et vous île de Robben
à la souche
de cette respiration
où n'arrive
aucune patrouille
BRUTUS
tu connais ce feuillage
ton salaire d'exilé
face à la mer
c'est la mort
de tant de vies
au milieu des sanglots crépus
Du Congo
syntaxe de la Liberté
je te transmets le relais
de mon Espoir
et le vent qui a mauvais nez
appelle à la naissance
la baie de ta douleur
La Liberté s'établit
sur ces noms d'État-Major
Alexandra
Manenberg
Sada Ilenge et Dimbaza
frondaison de nos martyrs
La mort impossible
décoiffe les collines
la roche crache
sautent les bidonvilles
le soleil tremble
sauf la Patrie
BRUTUS
plantée au cœur
de Johannesburg
le Jaune pour l'Or
le Noir pour le calvaire
le Rouge pour la Révolution.

Stèles pour l'avenir, Présence Africaine.

OSWALD MBUYISENI MTSHALI

AFRIQUE DU SUD

Né en 1940 à Vryheid (Natal), il vit actuellement à Johannesburg dans le township de Soweto.

Recueils de poèmes :
- *Sounds of a Cowhide Drum* publié par Renoster Books (Johannesburg) et Oxford University Press (Londres) en 1971.

Poèmes publiés dans des anthologies en anglais :
- *Black Poets in South Africa*, Heinemann, 1974.
- *Poets to the People*, George Allen et Unwin, Ltd., 74.
- *Poems of Black Africa*, Heinemann, 1975.

La nuit tombe sur Soweto

La nuit tombe
comme une maladie redoutée
qui s'infiltre par les pores
d'un corps sain
et le dévaste incurablement.

La main d'un assassin
tapi dans l'ombre
se crispe sur le poignard,
abat la victime sans défense.

Cette victime, c'est moi.
Chaque nuit, c'est moi
qu'on massacre dans les rues.
Je suis traqué par la peur
qui ronge mon cœur timide ;
dans ma faiblesse je me morfonds.

L'homme n'est plus un homme,
il est devenu une bête fauve,
il est devenu une proie.

Cette proie, c'est moi ;
je suis le gibier mis aux abois

par le prédateur à l'affût
que la nuit cruelle a lâché
hors de sa cage de mort.

Où trouver refuge ?
Où suis-je en sécurité ?
En tous cas pas dans la boîte d'allumettes
qui me tient lieu de maison
et où je me-barricade pour fuir le crépuscule.

Je tremble au bruit de ses pas qui craquent,
je tressaille lorsqu'il frappe sur la porte des coups
                                    [assourdissants.
Il aboie « Ouvrez ! » comme un chien enragé
assoiffé de mon sang.

Nuit ! Nuit qui tombe !
Tu es ma mortelle ennemie
Pourquoi donc as-tu été créée ?
Pourquoi n'est-il pas possible qu'il fasse jour,
qu'il fasse jour,
toujours davantage ?

in l'Aube d'un jour nouveau, op. cit.

BARRY FEINBERG

AFRIQUE DU SUD

Né en 1938 à Germiston dans le Transvaal, il vit à Londres depuis 1961. Il est peintre et illustrateur, et a fait plusieurs expositions à Londres.

Poèmes publiés dans diverses revues :
- *Sechaba, Anti-Apartheid News, Sanity, Lotus Guerilla Warfare, Apartheid.*

Poèmes publiés dans des anthologies en anglais :
- *Poets to the People*, George Allen et Unwin Ltd., 1974.

Le supplice dit « de la statue »

Le supplice de la statue
(pour parler poliment) :
un cercle de craie
non pas caucasien
comme dans Brecht,
mais une ellipse grossièrement tracée
sur le sol des couloirs.
On fait la queue pour la remplir,
pas un mouvement plus lent,
plus léger,
un par un,
semaine après semaine.

Ceux qui attendent
peuvent s'asseoir,
dormir ou uriner,
mais une fois qu'on est dedans,
une fois qu'on est encerclé
par cette petite frontière barbouillée,
il n'y a plus de montre
pour régler le flux de la vie,
il n'y a plus que le sang qui bat à la gorge,
les élancements dans les cuisses,
les orteils qui éclatent
sous le poids déplacé d'une jambe sur l'autre.

Mais surtout il y a la lumière,
un vrai plein soleil,
fixe,
et les peaux d'ébène blémissent
et prennent un ton d'ivoire.
Partout autour des fantômes,
qui grincent des dents,
les mâchoires en furie.
Les muscles tendus
changent de rôle,
la tension est tour à tour
volontaire et involontaire.

Du cul au coude il y a une zone mal définie,
les genoux plient pour garder l'équilibre,
on retient sa vessie par dignité.
Un seau d'eau en pleine figure
vous ramène à la réalité.

Pas question d'os brisés,
de coups de poings brutaux,
pas de reins éclatés,
pas de visage défiguré par les coups ;
les consignes sont strictes :
on ne s'attaque qu'aux sens.

La vue et l'ouïe souffrent,
on ne sent que l'odeur de la sueur,
on a la sensation d'avoir la tête qui enfle,
les mains qui rétrécissent,
les pieds qui se dissolvent.

Tout ça pour un nom,
une date,
un endroit, qui, avec qui,
une rime secrète,
une énigme apprise.
Mais même quand,
pendant ces longues nuits éclairées
on crache le morceau,
il reste la haine,
une idée qu'on garde avec violence.

in *l'Aube d'un jour nouveau*, op. cit.

VI. "LES ACTUALITÉS ÉTERNELLES"

Le poète entend se situer en tant qu'homme dans un monde en plein devenir, un monde dont il ne se sent ni exclu, ni paria, mais dans lequel il est déterminé à assumer ses responsabilités.

Pour reprendre la belle formule de Jean Senac, sa poésie sera donc fidèle à la fois au pain et aux roses : le poète dresse l'inventaire lucide de la réalité et à travers une méditation qui portera aussi bien sur l'amour et l'amitié, la mort, le sentiment de la nature ou la fraternité, il tente de répondre à la question qui est au cœur de tout homme : comment vivre ?

1. L'éloge de la femme

Lorsqu'il s'agit de célébrer la femme africaine, les poètes s'élèvent au niveau d'un lyrisme qui associe les accents de la sensualité à la plus pure vénération. Mère, épouse ou amante, la femme apparaît en effet comme le blason de l'Afrique toute entière, dont elle symbolise à la fois la vigueur, la beauté et la fécondité.

LA MÈRE

NIANGORANH PORQUET

CÔTE-D'IVOIRE

Figure turbulente et controversée des lettres ivoiriennes, Niangoranh Porquet est né en 1948 à Korhogo.

Poète, dramaturge et homme de radio, il est l'inventeur de la « griotique » et on lui doit trois recueils poétiques, *Mariam et Griopoèmes* (P.-J. Oswald, 1978), *Saba ou Grande Afrique* (Nea, 1978) et *Zahoulides* (Ceda, Abidjan, 1985).

Mariam La Grande

O Mère qui tant de fois
A versé des larmes solitaires
Sur le chemin tortueux de mon adolescence
Depuis que tu as quitté la maison des vivants
Mes pensées sans cesse s'envolent vers toi
Abandonnée sur le rivage de l'oubli,
Tu illumines pourtant sans répit
Les champs des vivants qui ne t'ont pas connue.
Toujours ! toujours
Ton visage figé accompagne
Inlassablement mes rêves, mes espoirs et mes luttes
Longtemps, depuis longtemps
J'ai détourné mes yeux du bonheur de ce monde
Loin de toi, et privé de ton amour,
Englouti dans la mer noire de ma misère,
J'ai pleuré
J'ai pleuré pour que le fleuve de mes larmes
Me conduise dans ta demeure sacrée
Ta demeure sacrée
Oui dans ta demeure sacrée.

Mariam et Griopoèmes, P.-J. Oswald, 1978.

MALICK FALL

SÉNÉGAL

Né en 1920, mort prématurément en 1978, Malick Fall a mené une carrière diplomatique dans plusieurs organisations internationales où il représentait son pays. Il est l'auteur d'un roman, *la Plaie* (Albin Michel, 1967) et d'un recueil de poèmes, *Reliefs* (Présence Africaine, 1964).

Mère Awa

Il paraît que maman est morte
Quelle importance
Quelle importance puisque je peux lui parler
A mon aise
Qu'elle me répond toujours
Avec son même sourire d'enfant
Pris en faute
Quelle importance puisqu'il ne se passe de nuit
Qu'elle ne me chuchote à l'oreille
Récite trois fois ce verset
Couche-toi sur le côté droit
Et dors
Il ne se passe de nuit sans qu'elle ne s'assure
Que ma journée sera belle à gravir
Il paraît que maman est morte
Pas pour moi qui écris ces lignes
Avec mes larmes
Ces lignes qu'elle ne sait lire
Avec ses larmes
Mais que son cœur assèche
Avec un sourire d'élue
Puisque je te vois là sous mes yeux
Puisque ta voix est la plus puissante
Sur terre
Sous terre
Qu'importe l'illusion de ceux qui t'ont couchée
Sur le côté droit
Et que tu regardes de ton regard
D'enfant pris en faute.

Reliefs, Présence Africaine.

LA FEMME, L'AMANTE

LÉOPOLD SÉDAR SENGHOR
SÉNÉGAL

Femme noire

Femme nue, femme noire
    Vêtue de ta couleur qui est vie, de ta forme qui est
                                            [beauté !
J'ai grandi à ton ombre ; la douceur de tes mains
                                    [bandait mes yeux.
Et voilà qu'au cœur de l'Été et de Midi, je te découvre,
            [Terre promise, du haut d'un haut col calciné
Et ta beauté me foudroie en plein cœur, comme l'éclair
                                            [d'un aigle.

Femme nue, femme obscure !
Fruit mûr à la chair ferme, sombres extases du vin noir,
                    [bouche qui fais lyrique ma bouche
Savane aux horizons purs, savane qui frémis aux
                        [caresses ferventes du Vent d'Est
Tam-tam sculpté, tam-tam qui grondes sous les doigts
                                        [du Vainqueur
Ta voix grave de contre-alto est le chant spirituel de
                                            [l'Aimée
Femme nue, femme obscure !
Huile que ne ride nul souffle, huile calme aux flancs de
                    [l'athlète, aux flancs des princes du Mali
Gazelle aux attaches célestes, les perles sont étoiles sur
                                    [la nuit de ta peau
Délices des jeux de l'esprit, les reflets de l'or rouge sur
                                    [ta peau qui se moire.
A l'ombre de ta chevelure, s'éclaire mon angoisse aux
                                    [soleils prochains de tes yeux.

Femme nue, femme noire !
Je chante ta beauté qui passe, forme que je fixe dans
[l'éternel
Avant que le destin jaloux ne te réduises en cendres
[pour nourrir les racines de la vie.

Chants d'Ombre, Le Seuil, 1945.

FRANCIS BEBEY
CAMEROUN

Ma vie est une chanson

On me demande parfois d'où je viens
Et je réponds « Je n'en sais rien
Depuis longtemps je suis sur le chemin
Qui me conduit jusqu'ici
Mais je sais que je suis né de l'amour
De la terre avec le soleil »

Toute ma vie est une chanson
Que je chante pour dire combien je t'aime
Toute ma vie est une chanson
Que je fredonne auprès de toi

Ce soir il a plu, la route est mouillée
Mais je veux rester près de toi
Et t'emmener au pays d'où je viens
Où j'ai caché mon secret
Et toi aussi tu naîtras de l'amour
De la terre avec le soleil

Toute ma vie est une chanson
Que je chante pour dire combien je t'aime
Toute ma vie est une chanson
Que je fredonne auprès de toi

Inédit.

PATRICE KAYO

CAMEROUN

Né à Bandjoum en 1942, Patrice Kayo a effectué l'essentiel de sa formation au Cameroun, d'abord au petit séminaire, puis au lycée Joss de Douala. Enseignant de lettres à l'École normale supérieure de Yaoundé, Patrice Kayo, qui a joué un rôle important dans la vie littéraire du Cameroun (il a animé successivement *Le Cameroun littéraire* et la revue *Ozila*) est l'auteur d'une œuvre poétique aujourd'hui forte de quatre recueils, *Chansons populaires bamiléké* (Yaoundé, Imprimerie Saint-Paul, 1968), *Hymnes et sagesse* (Oswald, 1970), *Paroles intimes* (id. 1972) et *Déchirements* (Paris, Silex, 1983).

On lui doit également une *Anthologie de la poésie camerounaise d'expression française* (Yaoundé, Le Flambeau, 1977) et un essai sur *les Proverbes Bamiléké* (Saint-Paul, 1970). La poésie de Patrice Kayo chante la fraternité et elle s'enracine dans la tradition orale bamiléké.

A la princesse

Tu es l'innocence des fleurs
et le sourire de l'aurore
tu es le doux éclat du soir
et la virginité de l'inconnu
tu es la gaieté du ciel étoilé
la candeur des clairs de lune.

Tu es la douceur des nuages des belles saisons
      tu es la corolle qui s'ouvre
      sur l'humble hauteur de ma colline
      mais le chemin est long
      qui mène jusqu'à toi
      tu es l'aube lourde de promesses

et ton sourire, le murmure joyeux
du vent sur la savane
tu es le havre de mon cœur déchiré
lorsqu'y volète le papillon
du doute et de l'angoisse.

Tu es la fertilité de la terre
et la limpidité du matin
tu es le beau pays de mes rêves
le champignon
que je voudrais cueillir
au lever de l'aube de l'amour
tu es l'eau pour ma soif tenace
et dans le gouffre de mon silence
je ne murmure que pour toi.

Tu es la hutte élevée par le destin
sur mon chemin sans abri.

Tu es l'oiseau posé
sur l'arbre de ma solitude
et quand tu t'envoleras
tu emporteras mon espoir.

Tu es le kolatier
planté dans l'étroit champ de mon destin
laisse tomber pour moi
le salutaire fruit de l'accord
pour que par le même chemin
nous titubions ensemble
vers la grande mer
la mer de l'éternité

Écoute je t'aime comme on meurt
innocemment, totalement
et je t'attendrai comme le bonheur :
tous les jours.

Paroles intimes, P.-J. Oswald.

130

RICHARD DOGBEH

BÉNIN

Richard Dogbeh est né à Cotonou, en 1932. Une fois ses études secondaires effectuées au Bénin, il complète sa formation de psycho-pédagogue au Sénégal, puis en France. Après avoir servi dans l'administration, d'abord dans son pays puis à l'UNESCO, Richard Dogbeh enseigne à l'ENS d'Atakpamé, au Togo.

On lui doit quatre recueils poétiques, *les Eaux du Mono* (Vire, Éd. Lecire, 1963), *Voix d'Afrique* (Paris, Éd. Istra, 1963), *Rives mortelles* (Porto-Novo, Éd. Silva, 1964) et *Cap Liberté* (Yaoundé, CLÉ, 1969).

Te rappelleras-tu ?

Ce poème, extrait de Cap liberté, *est construit sur une antithèse entre le rêve de bonheur du poète et de sa compagne, et le désespoir engendré par les épreuves que traverse son pays.*

Te rappelleras-tu amie ce soir redoutable
Où l'amour nous a surpris tous les deux
Dans tes yeux la prophétie scintillait
Comme dans toutes les chansons
le bonheur dépendait de nous deux
   tout simplement

Dans la tourmente de notre pays
Nous combattrons la jalousie et l'envie qui
   déciment l'avenir
   l'injustice qui divise
Nous combattrons la paresse et la routine
Nous bâtirons notre vie fidèle et fière.

Regarde
Amie des rives mortelles
Impatiente de charité
L'harmonie jaillit dans le pays
De Cotonou à Malanville

Dans nos jardins et nos maisons
Croissent des fleurs aux mille couleurs
J'ai lu dans le ciel de nos villes
Que l'avenir sera beau
Sur nos routes difficiles

Au bord de la mer en furie
Il pleuvait ce soir-là et le vent froid nous
   fouettait le visage
Comment se peut-il qu'un flot de bonheur
   naisse d'une cité d'angoisse
Ainsi va la vie
Il faut nous armer
Il faut nous cacher (...)

Cap liberté, Clé, 1969.

MUKALA KADIMA-NZUJI

ZAÏRE

Mukala Kadima-Nzuji est né en 1945 à Mobaya et il a successivement effectué ses études à l'Université Lovanium de
Kinshasa, puis à la Faculté des Lettres de Liège.
    Universitaire (il enseigne actuellement à l'Université de
Brazzaville), essayiste (on lui doit de nombreux articles et
études), Kadima-Nzuji est l'auteur de trois recueils poétiques, *les Ressacs* (Kinshasa, Les Lettres congolaises, 1969),
Prélude à la terre (Kinshasa, éditions Le Mont noir, 1971)
et *Redire les mots anciens* (Paris, Saint-Germain-des-Prés,
1977).

A l'absente

Ce poème est extrait du premier recueil de Kadima-Nzuji, les Ressacs, *dans lequel s'exprime une poésie d'un lyrisme savant.*

Tu m'as confié ton cœur
  Quand des oiseaux migrateurs écorchaient le lointain
  de leurs rires saccadés.
Quand seule nous parfumait la frondaison du silence que
  berçaient les vents alizés,
Tu m'as tendu tes bras, tes bras de lianes plus souples
  que palmes cadencées.

Sur le miroir de ton front
Venaient se briser les cavatines de Juillet
Chantait ton regard l'écharpe de lumières
  qui drapait la confiance
Et le dur appel de nos jeunes Saisons.

O Dahlia qui chante,
Comblé d'espoir, riche de rosées d'hivernage.
O toi qui sièges parmi les vestales de la Lune
  je t'ai offert mes joies, prémices
Des champs aériens qui labouraient nos doux propos.

Et voici aujourd'hui
Qu'éclate dans mes veines la trompette de mon sang,
Que geint la vie suspendue au bout de chaque nuage
  qui ombre ton visage.

Voici que monte l'âpre chant du soir
Dans l'échine du Fleuve de nos rêves.
L'écho pur de ta voix roule emperlé d'extase
  sur les pétales du Crépuscule.

Mais viens-t-en, je t'attends,
Oiseau des berges lointaines perdues dans la brume
  éclose.

Tu percheras sur les branches de mes bras, tu boiras
    la rosée de mes feuilles,
Mon cœur est bourgeons pour nourrir tes entrailles.
Viens l'ivresse y perle encore.
Nous nous baignerons dans le Fleuve de l'Oubli
    là-bas, aux confins des querelles d'hommes.

les Ressacs, Les Lettres Congolaises, 1969.

JEAN-MARIE ADIAFFI

CÔTE-D'IVOIRE

Chant pour la libération de la femme

Balafon accompagne-moi sa voix
    Hors de sa voie la défaillance des cordes musicales
    Tam-tam forge-moi le timbre le plus puissant
    Forge pour le fils d'Anazé un timbre de fourches
    Un timbre de mille trompettes de guerre
    Les femmes les femmes leurs bras lourds de bijoux
d'étoiles
    Avec quoi veut-tu frère qu'elles caressent nos vœux
de bonheur de prospérité ?
    Avec quoi veux-tu qu'elles caressent nos enfants
nos pères nos corps souples nos cheveux de dernière
moisson nos cheveux mûrs fauchés au grenier de nos
rêves de liberté .. nos rêves incurables de tenace
liberté ?...
    Nos filles ah ! ah ! nos filles .. que veux-tu que j'en
dise frère sœur avec leurs mains lourdes de chagrin
d'amour
    Avec quoi veux-tu qu'elles caressent nos vœux ?
...

De jouir de la souplesse féline de leur corps tendre comme papaye épluchée à même l'arbre nourricier ....

Avec quoi veux-tu qu'elles jouent coquettement des mortiers du pilon du mil du maïs du foutou ...

Avec quoi veux-tu qu'elles attachent leurs enfants au dos aux étoiles aux rêves limpides du souvenir inoubliable du bonheur d'être attachée à la mère à la terre au nombril du ciel immense couleur ocre du sourire maternel ?

Mais avec quoi veux-tu que nos femmes nos mères nos sœurs nos filles si elles n'ont pas les bras libres les mains libérées des chaînes des fardeaux des ans

Avec quoi veux-tu, dis-le moi, je me fais un scrupule d'y insister .. je me fais un devoir de le répéter.

D'éclairs et de foudre, Ceda.

2. L'amour du pays natal, la nature

D'autant plus précieux qu'il est souvent évoqué dans la grisaille de l'exil, l'amour du pays natal et de la nature confèrent à la poésie africaine quelques-uns de ses accents les plus élégiaques. Lorsque « la mémoire se déplie » surgissent alors les images de fleuves impétueux ou de hameaux de brousse s'éveillant au son de la flûte des bergers...

JEAN-BAPTISTE TATI LOUTARD
CONGO

Ève congolaise

L'assimilation de la terre natale à la femme apparaît comme l'une des constantes de la poésie africaine. Le poète entreprend alors de déchiffrer l'espace originel à la manière d'un blason féminin.

Je l'ai vue quand Dieu l'a créée sur la Montagne :
C'était en pleine nuit, la lune ayant atteint
Le plus haut niveau de ses crues de lumière.

Avant que Dieu ne parût comme jadis sur l'Horeb,
L'herbe alentour marchait déjà tête baissée
Sous la brise.

Il prit de la terre non battue de quelque pied,
Et la coula - vierge comme au Jour Premier -
Dans un long rayon de lune.

En un tour de main, ce fut le tour des seins ;
Et la grâce et l'esprit giclaient d'Ève
En éclaboussements éblouissants de lumière.
Puis vint le signal :

Dans l'espace nu, le vent se mit à tourner sur lui-même
Comme s'il avait mal de ne pouvoir se détendre
Dans un arbre. Dieu reprit l'air dans le tourbillon ;
Et dans le silence plein de clarté,

L'Ève congolaise descendit vers le fleuve à l'heure
Où le soleil sort en refermant derrière lui
la porte de la nuit.

Les racines congolaises, op. cit.

Congo natal

Je ne redoute rien tant que l'exil
Le regret de mon soleil versé sur les vagues
Comme l'huile qui s'exalte dans la poêle
Et chante le cantique du feu
Et ma mère trempée d'angoisses
Devant son foyer aux-trois-pierres
Combien de poètes portent à jamais
Le deuil des Tropiques dans les contrées
   du Nord

Les douleurs dans leurs écrits se disposent
  comme des noctuelles sur des étaloirs
Quand le climat déploie ses forces arides
L'œil s'ouvre sur la grisaille et s'embue
Le cœur nidifie dans la pierre
Parfois la mémoire se déplie
Vient la clarté puis à nouveau le ciel
  s'embrume
Toi l'étrange cultivateur transmigrant
Quel espace as-tu fructifié
Depuis que la terre en toi s'est rétrécie
Que le fleuve Congo n'y est plus qu'un sillon
Je pense à mon horizon où lève l'épi
  de l'aube
Aux enfants qui s'éparpillent sur le miroir
  du jour
Aux passereaux en tumulte dans le rônier
A ce peuple missionné qui reprend feu
Quand passe le vent avec ses poissons-pilotes
  de feuilles mortes
Cherchant dans son trouble inapaisable
A jeter bas les masques du mensonge
A ceux qui ont déserté les ailes
D'une maison obscurcie par la mort
Le soleil survient qui replante ses lances
  dans la rue
J'observe les générations nouvelles
  qui ondulent
Et cette fille de l'espèce lianescente
Sort du terroir profond
Son visage a bruni au feu de santal
Elle passe comme une jacinthe dans les eaux
  errantes
Aveugle elle va briser son cœur sur l'écueil
L'asphalte lui ouvre ses mares ses mirages
Et je n'oublie pas la gloire des Jours d'Août
Sanglés dans leur tunique couleur
  de sang
Et l'héritage exhalant encore
  le parfum du frangipanier.   *La Tradition du songe*, op. cit.

CHEIK ALIOU NDAO

SÉNÉGAL

Né en 1933, Cheik A. Ndao est un poète fortement
influencé à la fois par les grands thèmes et les genres de
la poésie traditionnelle peule, et par le lyrisme de la poésie
arabe.

On lui doit en particulier *Kairée* (Grenoble, Imprimerie
Eymond, 1962) et *Mogariennes* (Présence Africaine, 1970).

A l'Afrique

Flèche figée en ma mémoire
Afrique
Mon cœur saigne
Sous tes serres depuis l'extrême sud
De mon âme

Reçois
Mes pas sur tes pagnes
Moi l'Héritier des Ancêtres
D'Hier

Afrique
Les toits de tes cases
Griffent le ciel sourd
A l'anxiété de leur misère
Ma prière du matin du soir

Ah puiser à pleines mains
L'odeur des manguiers
Dans la tiédeur de juin
Sentir le baiser des épis
Sur les sentiers d'octobre
Rouler dans l'eau claire
Rien dans le regard
De Kaïrée
O mère des Initiés

Kaïrée.

ÉDOUARD MAUNICK

ÎLE MAURICE

Édouard Maunick est né à Flacq, à l'Île Maurice, en 1931. Il vit à Paris depuis 1961.

Homme de radio et, depuis quelques années, fonctionnaire international à l'UNESCO, Édouard Maunick est l'auteur d'une œuvre poétique singulière, d'une rare qualité littéraire. Il puise en effet son inspiration à la fois dans l'évocation de l'île natale, carrefour de l'Asie et de l'Afrique, et foyer de tous les métissages, et dans la volonté clairement affichée de transcender l'exil à travers une double rencontre : celle de l'Europe, terre d'asile, et celle de l'Afrique, véritable patrie sentimentale ; « Je suis nègre de préférence », confie-t-il dans *les Manèges de la Mer.*

Œuvres principales :
- *Les manèges de la mer*, Paris, Présence Africaine, 1964.
- *Mascaret*, ou le Livre de la Mer et de la Mort, Id. 1966.
- *Fusillez-moi*, Id. 1970.
- *Ensoleillé vif*, Paris, Éditions St-Germain-des-Prés, 1976.
- *En mémoire du mémorable*, Paris, L'Harmattan, 1979.

Autrefois le feu

Autrefois le feu
sur la pierre-autel libérait la peau des tambours
        de leurs rides sèches
et brisait la danse l'osier des reins la soûlerie
        aujourd'hui la race
regarde la mer retourne la pierre sans le savoir
        et le sable boit
le reste du feu se brisent les dernières amarres
        l'île est investie
un sort anonyme guette sûr les derniers danseurs

        un arbre de plus
rouge flamboyant rouge crieur du nouvel an
        attend le cyclone
comme j'attends la mort après la houle cardinale
        cette plaine bougeuse

gardienne du sang entre les saisons apocryphes
        un arbre de moins
fatigué de vent de février le meurtrier
        de mars le complice
un temps de furie le seul qui ne soit pas solaire
car on dit soleil sans savoir son poids de tendresse

au pays de naissance il veille sur les taudis
sur le château de pierre sur les toits cannelés
son familier voyage est un signe de chance
une bête nourricière dont on ne sait pourquoi
elle rampe dans le pain traverse l'épiderme
comme un cri non coupable seul soleil du soleil
couleur de la cannelle de l'écorce couleur
douleur de la racine de nocturne douleur
poivre et poussière de pierre couleur de n'importe où
douleur de la dispute trop de sangs s'interpellent
la peau la peau la peau les tropiques se réveillent
aveugle dans la ville témoin aux jeux de braise
le soleil innocent exige la part du cœur
rendez-moi ma couronne ma raison première
mon royaume métis commence au point du jour
et ses orfèvreries hantent les fonds de chair
je prophétise le sang mêlé comme une langue de feu.

Les manèges de la mer, Présence Africaine, 1964.

KÉITA FODÉBA

GUINÉE

Né en 1921, mort dans des circonstances encore mal élucidées en 1968, Kéita Fodéba se rendit célèbre par la fondation de la troupe des Ballets africains qu'il dirigea et avec laquelle il effectua une série de tournées triomphales à travers le monde entier.

Kéita Fodéba se voulait très proche des formes traditionnelles africaines. *Poèmes africains* (Seghers, 1965) et *Aube africaine* (Seghers, 1965) reflètent ce projet : sous forme de légendes contées et chantées dans les villages, le poète nous restitue la matière populaire d'une façon poétique, simple et souvent très évocatrice.

C'était l'aube...

Le petit hameau qui avait dansé toute la nuit s'éveillait peu à peu. Au son des flûtes de roseau, les bergers conduisaient les troupeaux dans la vallée, tandis que les jeunes filles encore somnolentes se suivaient sur le sentier tortueux de la fontaine. Dans la cour du marabout, un groupe d'enfants autour du feu de bois, chantonnait des versets du Coran.

Musique de Cora

C'était l'aube...

Combat du jour et de la nuit. Mais celle-ci, exténuée, n'en pouvait plus ; lentement elle expirait. Déjà à l'horizon, quelques rayons de soleil teintés de rouge, illuminaient les derniers nuages tels de gros bouquets de flamboyants en fleur.

Musique de Cora

C'était l'aube...

Et là-bas, au milieu d'une vaste plaine aux contours de pourpre, une silhouette d'homme courbé, défrichait : silhouette de Naman le cultivateur. A chaque coup de sa daba, les oiseaux effrayés s'envolaient et à tire-d'aile, rejoignaient les rives paisibles du Djoliba. Son pantalon de cotonnade grise battait l'herbe, trempée de rosée. Infatigable, il maniait adroitement son outil, car il fallait que ses graines soient enfouies dès les premières pluies.

Musique de Cora

C'était l'aube...

Les mange-mil, dans les feuillages touffus des manguiers, virevoltaient, annonçant le jour. Sur la piste humide de la plaine, un enfant courait, essoufflé, dans la direction de Naman avec, en bandoulière, son petit sac de flèches.

PATRICE KAYO

CAMEROUN

La source

Joyeuse source, mère des colombes
humble étoile de mes rêves d'enfant
voici le val, voilà le mont
Et mes sens assoiffés de tes vierges refrains.

A ta frissonnante guirlande je me suis accroché
Et dans ton nombril de pucelle et d'ange
J'ai gardé mon panier d'absinthe et d'horreur
Car tu es tam-tam et coryphée.

Car tu es tam-tam et pipeau d'appel
Perdu la nuit dans les champs loqueteux
car tu es pipeau des jeunes gens
Pipeau messager des concubins las d'attendre.

Et quand reverdissent les folles saisons
Quand remeurent sans mourir les haines
quand en sourdine reluisent les lueurs boîteuses
d'île en île tu guides le pèlerin.

Et quand sans bruit un géant bien loin s'endort
quand les roses dansent dans leurs robes de frimas
Tu veilles ô collier d'or des nuits glacées.

Paroles intimes, P.-J. Oswald.

ELOLONGUÉ EPANYA YONDO

CAMEROUN

Né en 1930 à Douala, Épanya Yondo est venu très tôt en France et a grandi dans la famille d'Alioune Diop. C'est dire s'il a été marqué par les idées brassées dans la mouvance de Présence africaine.
Sa poésie est néanmoins résolument tournée vers les sources de la tradition douala, et Épanya Yondo est l'un des premiers intellectuels africains à avoir écrit dans sa langue maternelle.
Il est l'auteur d'un unique recueil poétique, *Kamerun ! Kamerun !* (Paris, Présence africaine, 1960).

Jébalè

A mon neveu
David Morsamba Diop.

Jébalè mon île d'émeraude
Joyau flamboyant au confluent
De la gorge altière du Wouri
Je me souviens
De tes nattes verdoyantes

Fouettant en cascade
L'haleine salée du littoral
Jébalè mon île d'émeraude
Terre dont le souffle
Des Miengu et des Mamy-Wata
Féconde le cycle des Mbéatoè
Énigmatiques hommes d'eau
Qui sèment l'abondance
Jébalè mon île d'émeraude
Je cherche dans les fissures du temps
Dans la gueule écumante
De la baie du Biafra
Tous les replis d'eau
Qui mangèrent goutte à goutte
Un chapelet d'îles
Jaillies des entrailles de l'océan
Comme des gerbes de nénuphars
Jébalè mon île d'émeraude
Je cherche dans l'écume poreuse
Les cônes bleu-gris
Dont la beauté effervescente
Arrachait des soupirs
  De lame de fond à l'océan
  Tombé en pâmoison

Jébalè mon île d'émeraude
Je cherche le chemin du retour
Du maquis de mon long exil
A travers l'île des buffles
Que fixait hier
La pointe multicolore de Suellaba
Je cherche sur tes flancs
Le point de repère de l'estuaire subjugué
Lançant à l'assaut de l'esprit gardien
De la crique du Bimbia
A l'île Malimba
Du Wouri coiffé de palétuviers
A la Dibamba des grandes profondeurs
De la Sanaga hydre immense
A la bouche silencieuse de la Kwa-Kwa...

Des gueules d'eau déchaînées
Et des bras de mers insaisissables
Pour pénétrer ton mystère
Consacrant ta légende des légendes
Jébalè mon île d'émeraude
Terre première de mon enfance
Dont le sel fermente ma mémoire
Je grave ton image impérissable
Sur la grève qui se moire
Au miroir d'un ballet lumineux
Du flux et du reflux
Qui propagent ton nom
Par la voix claire des clapotis.

Paris, ce 25.2.1972, in revue Présence Africaine, n° 84 (4e trimestre 1972).

PAUL-CHARLES ATANGANA

CAMEROUN

Paul-Charles Atangana est né vers 1930 au Cameroun. Instituteur à Garoua, il est l'auteur d'une œuvre poétique encore inédite.

La terre attend

La nue, imbibée d'eau, lentement me tourmente
Passant des faux azurs
  Aux tons dorés et purs
Les feux brûlent les chants, le monde se lamente.
Pluies qui regardez dans le ciel éclatant,
  Grondez, la terre attend !

Le mont, le vert coteau, la prairie et la lande,
  Au vent qui gronde et meurt

Prêtent de gaies clameurs ;
Le tronc du benténier puissamment se rebande.
Arbres qui vous voûtez au souffle du beau temps,
   Montez, la terre attend !

Les champs couvrent le front des côtes et des plaines
   Bientôt les épis mûrs
   Seront rangés par neuf
Au fond de lourds greniers ; les granges seront pleines
Épis qui mûrissez près des chemins montants,
   Séchez, la terre attend !

Les fleuves de tous les tons émaillent les vallées ;
   Les bois sont pleins de champs,
   Les champs d'oiseaux, de chants.
De blairs les mieux roulés les villes sont peuplées.
Beautés qui profitez du soleil du printemps,
   Vivez, la terre attend !

La vie gonfle les jours de fêtes grandioses ;
   Les soirs de doux festins
   D'échos les gais matins.
Les fous se rient de tout, des pauvres et des choses.
Amis qui vous moquez de la main qui se tend,
   Riez, la terre attend !

Le cœur de tous les grands qu'accable la fortune
   Pense trouver la paix
   Au bout des airs épais.
Déjà, des oiseaux blancs se posent sur la lune.
Humains qui voulez voir le trône de Satan,
   Allez, la terre attend !

La terre est le berceau de tout ce qui respire,
   De tout ce qui grandit,
   De tout ce qui verdit.
Elle est le grand tombeau de l'homme et son empire.
Années dont les échos vont jusqu'au noir antan.
   Fuyez, la terre attend !

Anthologie de la Poésie camerounaise, P. Kayo, Éd. Le Flambeau.

FRANCIS BEBEY
CAMEROUN

Ville d'hivernage

Je traîne avec moi
cette bâche de rien
avec ton nom dessus
qui dessine dans mon cœur
le contour pluvieux
de ma ville natale
Voici Douala
Dieu veuille l'épargner
de l'inondation

Cet orage sans fin
Ce déluge inoubliable
Ce crachin vivant
comme une douce torture
ouverte à tous les vents
c'est Douala
ma ville au ciel bas

Je suis près de toi
Char des dieux
Vétéran des initiés
Puissant gouffre du temps
qui change et reste toujours
le même
quel que soit le temps

Je traîne avec moi
ce nom de rien
couvert par une bâche
vert foncé

Avec ce cri ensoleillé
par ci par là
que le crachin ne mouillera
jamais

Jamais
Tant que Noé aura vécu

Inédit. Libreville, septembre 1974.

LAMINE DIAKHATÉ
SÉNÉGAL

V

Une plaine d'eau, des sentiers de fleurs,
une toiture de nuages rutilants,
de loin en loin des piquets de paix,
les ombres graves et persistantes des Ancêtres,
des lits flottants à la blancheur du soleil
à midi aux quatre horizons,
et les femmes y sont pures,
plus clair qu'une nuit de néoménie[1]
le lait de leur sourire...
Mon amie, tel est le pays des mirages...
Viens vite, O toi qui ne résiste pas
au gazouillis fluide des oiseaux.

Primordiale de sixième jour, op. cit.

1. *Néoménie :* fête qui, dans l'antiquité, correspondait à la nouvelle lune.

148

3. L'homme face au destin et à la mort

Tandis que certains poètes évoquent l'inéluctable fuite du temps et le dépérissement de toutes choses, d'autres adoptent face à la mort une attitude empreinte à la fois de gravité et de sérénité. A la détresse de la mère dont l'enfant « n'est pas revenu, emporté par le vent » se mêle la complainte de l'amant à qui « la camarde » vient de ravir sa compagne.

TCHICAYA U TAM'SI
CONGO

Le signe du mauvais sang

Tchicaya n'a jamais fait mystère de ses réserves vis-à-vis du mouvement de la Négritude, qu'il a toujours considéré comme un étouffoir. Il refuse donc de se complaire dans le ressassement d'un passé mythique - « est-ce raison de danser toujours à rebours la chanson ? » - pour proclamer son appartenance à une humanité qui transcende toutes les races.

Je suis le Bronze l'alliage du sang fort qui gicle
quand souffle le vent des marées saillantes

Le destin des divinités anciennes en travers du mien
est-ce raison de danser toujours à rebours la chanson ?

J'étais amant à folâtrer avec les libellules ; c'était mon passé - ma mère me mit une fleur de verveine sur ma prunelle brune.

Je sentis mon sang allié sourdre des cadences rauques où bâillaient des crapauds pieux comme des amis.

Très pur le destin d'un crapaud !

Un pays tout latérite, des cauchemars qui fendent le crâne avec la hache des fièvres.

J'accuse la lumière de m'avoir trahi.

J'accuse la nuit de m'avoir perdu.

En vain, je promène une morte dans mon destin et le rire des mères et mon cœur enlisant et ce fleuve si lisse où ne poussera le liseron fin je porte aux mondes deux mains et leurs dix doigts pour une arithmétique élémentaire où se chiffrent naître aimer mourir et le corollaire qui est du corail colorié.

De mémoire d'homme l'orgueil fut vice j'en fais un Dieu pour vivre à la hauteur des hommes d'honnêtes fortunes.

Je suis homme je suis nègre pourquoi cela prend-il le sens d'une déception ?

Épitome, P.-J. Oswald.

Le Contempteur

Lecteur assidu du Nouveau Testament, Tchicaya éprouve à l'égard de la figure centrale du Christ, un sentiment ambigu dans lequel la fascination le dispute à la haine.
Le poète estime en effet que le message initial du Christ a été irrémédiablement entaché de souillure par les détournements successifs de l'Histoire.

A Catherine Bailly

Je bois à ta gloire mon dieu
Toi qui m'as fait si triste
Tu m'as donné un peuple qui n'est pas bouilleur de cru

Quel vin boirai-je à ton jubilate
En cette terre qui n'est terre à vigne
En ce désert tous les buissons sont des cactus
prendrai-je leurs fleurs de l'an
pour les flammes du buisson ardent de ton désir
Dis-moi en quelle Égypte mon peuple a ses fers aux
[pieds

Christ je me ris de ta tristesse
ô mon doux Christ
Épine pour épine
nous avons commune couronne d'épines
Je me convertirai puisque tu me tentes
Joseph vient à moi
Je tète déjà le sein de la vierge de ta mère
Je compte plus d'un judas sur mes doigts que toi
Mes yeux mentent à mon âme
où le monde est agneau ton agneau pascal — Christ
je valserai au son de ta tristesse lente

Suis-je seulement ton frère
On m'a déjà tué en ton nom
Étais-je coupable de ma mort
J'avais des fleurs d'amour toutes d'ombre aux yeux
mes mains jouaient les palmes des lataniers au soir
En baisant ta croix le sang rougit ma bouche

N'étais-je pas ton frère
Je danse à ta tristesse
Je ne prends à témoin et ni père et ni mère
quant à moi et pourtant ma douleur vaut la tienne
L'eau de mon fleuve est douce allez les hirondelles
Le roc aime la mer qui la bat folle et si lasse

Tu me tentes
et je jouis
Je me perds par cette musique de ton âme
ce ne sont que pourtant les truies qui chantent faux
Et moi je danse mort pour la tristesse lente
Les vices de ma peau sont les trois clous de fer
dans tes mains et tes pieds

Que tu es sale Christ d'être avec les bourgeois
Leur luxe est un veau d'or au cou de leurs bourgeoises
Marche sur ce chemin de mon peuple où je boite
Tu me diras en quelle Égypte geint mon peuple
Mon cœur n'est pas le désert parle ô Christ parle
Est-ce toi qui mis l'or vif dans mon vin de joie

Te dois-je mes deux sources
Et mon âme et mon cœur
Est-ce toi qui fis à mon cœur deux ventricules
si minuscules
Dis pourquoi souffrirais-je d'aimer par cœur.
Un arbre de vie mort fleurissait mon oubli.

Tu restes immobile
Le Congo fend sa peine
Ah que tu es sale Christ d'être avec les bourgeois
Christ Christ de ma sainte Anne
Dis quel vin boirai-je
pour mentir à mon peuple
ma joie est trop voyante
ma tristesse est trop sale
pour être un feu de brousse

Des chiens me suivaient
quand j'étais mendiant
Pour l'Eucharistie je mendiais le vin le levain et le sel
Je fus Juif errant
pour te trahir toi qui m'avais trahi
On m'a déjà tué en ton nom
trahi puis vendu

Le soir flétrissait les roses
qui s'effeuillaient de douleur

Épitomé, op. cit.

JEAN-BAPTISTE TATI LOUTARD

CONGO

La nouvelle

J'apprends ta mort tant le sol se dérobe
Que je me crois au large d'un domaine océanique
L'embrun couvre les feux de marée
Je consulte le portulan
C'est tard pour une lettre pour une parole
La science des mots entre dans le cristal
L'onde de la mort multiplie ses rayons
Les heures comme des chauves-souris heurtent l'émail
   et s'envolent
La vie déjà pénètre dans le souvenir
Tout s'éparpille aux quatre coins de la tête
La voix du matin n'émet plus de son
Je te revois tout beau à l'heure
Où l'horizon brunit comme une fille nubile
Un seul nuage fume près du soleil
Est-ce la huppe de l'oiseau de feu
Ton sourire ouvre encore la porte
Le lac du ciel est-il toujours dans sa cuvette
   sans roseaux ni foulques
Quelqu'un frappe à la fenêtre
Je regarde la vitre brisée par le sort
La nuit descend sur ma peine comme une robe
   longue
Tu t'éloignes le jour où la lune n'ameute pas
   le peuple de la nuit
Ah ! vivre moins qu'un sureau avec tant de rêves
   déployés
Il me reste pour toi le temps d'un chant
   sans haute mélodie.

La Tradition du Songe, op. cit.

ÉTIENNE B. NOUMÉ

CAMEROUN

Chant funèbre bangou

Mon corps est engourdi
et je me meurs de froid ;
mon enfant est allé
couper du bois, hélas
et n'est pas revenu
    Les palmes
    ont séché
    à la lueur
    de la lune

Sur le foyer ardent
mon pot rougi éclate :
à l'aube au marigot
mon enfant est allé
et n'est pas revenu.

    Les palmes
    ont séché,
    à la lueur
    de la lune

Mon soleil s'est couché :
mon enfant est allé
derrière la colline
emporté par le vent
et n'en reviendra jamais plus

    Les palmes
    ont séché,
    à la lueur
    de la lune

Angoisse quotidienne, Le Flambeau, Yaoundé.

ENO BELINGA
CAMEROUN

Eno Belinga est né en 1935 à Ebolowa. Après des études secondaires au lycée Leclerc de Yaoundé,. il achève sa formation dans le domaine des sciences de la terre, d'abord à Strasbourg, puis à Paris.

Profondément attaché à la culture bulu qui a marqué son enfance, Eno Belinga est l'auteur d'une série d'essais consacrés à la tradition du mvet et à la musique populaire en Afrique noire. On lui doit également plusieurs recueils poétiques.

Œuvres principales :
- *Littérature et musique populaire en Afrique noire*, (Essai) Cujas, 1965
- *Découverte des chantefables beti-bulu-fang du Cameroun*, (Essai) Klincksieck, 1970.
- *Masques nègres*, (Poésie) CLÉ, 1972.
- *La prophétie de Joal*, suivi de *Équinoxes*, (Poésie) CLÉ, 1975.

Cénotaphe

L'amour a fleuri dans mon jardin l'amour
Comme un printemps de pourpre vêtu
Mais la camarde s'est tôt levée un matin
Fauchant à l'aveuglette.

L'amour a fleuri dans mon jardin l'amour
Comme un printemps de pourpre vêtu
La camarde m'a dit viens au port aux aurores
De ta belle accompagnée.

L'amour a fleuri dans mon jardin l'amour
Comme un printemps de pourpre vêtu
J'ai dit à la camarde tu es folle je n'irai pas
Au port j'ai beau dire la mort est têtue.

L'amour a fleuri dans mon jardin l'amour
Comme un printemps de pourpre vêtu
J'ai beau dire je suis heureux c'est une rose
Attends encore un peu attends.

L'amour a fleuri dans mon jardin l'amour
Comme un printemps de pourpre vêtu
J'ai dit à m'amie donne-moi la main ta main
Courons nous n'irons pas au port ce matin.

L'amour a fleuri dans mon jardin l'amour
Comme un printemps de pourpre vêtu
J'ai vu la mort dans un aéroport c'est un tapis volant
De métal cuirassée les ailes en aluminium.

L'amour a fleuri dans mon jardin l'amour
Comme un printemps de pourpre vêtu
La faucheuse fait diligence comme ces tapis volants
Qu'on voit dans les aéroports la mort.

L'amour fleurissait dans mon jardin fleurissait
L'amour quand la faucheuse a fauché
D'un seul coup d'un seul l'unique la plus belle
Fleur de mon jardin un matin.

J'ai versé des larmes de sang j'ai pleuré
Pleurant j'ai versé des larmes de sang
Et de pourpre en souvenir de m'amie
Je me suis vêtu de pourpre.

M'est venue rendre visite trois jours après la camarde
Un matin de Pâques aux aurores de la résurrection
M'a dit ne pleure plus petit et sache à l'orient
Ton espérance que ta belle est en paradis.

Dans mon jardin ce matin de Pâques dans mon jardin
L'amour a refleuri comme un printemps d'espérance
Vêtu fleurs rouges dans un pré vert l'espérance
Depuis ce temps est mon pain quotidien.

Équinoxes, CLÉ, Yaoundé.

THÉOPHILE OBENGA
CONGO

Pour le nom d'Alioune Diop

Encor la mer
partage de ciel
promesse d'un rêve
altéré
le carillon de nos deltas...
certains soirs
à Paris
possédaient le cristal
de ta pensée
s'étoilant
sur nos têtes sombres
adossées
à la prairie de ton nom
ALIOUNE
en nous s'éveillait
la Présence absolue
l'amont du temps
sans ombre
le chemin tissé
dans l'Espoir
à la hampe du soleil
cime-haut
loin du vent
ALIOUNE
l'Afrique
s'éclaire
terre
fondamentale.

Brazzaville, 14 février 1977.

OUSMANE SOCÉ DIOP

SÉNÉGAL

Né en 1911, disparu en 1978, Ousmane Socé Diop est
l'auteur d'un recueil poétique, *Rythmes du Khalam* (Paris,
Nouvelles Éditions Latines, 1962).

In memoriam

Grand'Mère Maram N'Diaye
Avait répondu à l'homme blanc
Qui la déplaçait du rivage
Pour y bâtir la cité :
« Je ne pourrai jamais dormir
« En un lieu où je n'entendrai pas
« Le roulement de la mer ».

C'est pour cela, Mère,
A la vie dure et fière,
Que j'ai jonché ta tombe
De coquillages de M'Bao.
Ces cymbales pétries
Sur les sables de Bègne

Par le flux et le reflux
De la vague perpétuelle,
Sur le sable de M'Bélélane,
Te chanteront éternellement
La piété de notre souvenir,
A chaque fois que retentira
Dans leurs conques
L'appel des Muezzins
Pour la Sainte Prière du Vendredi !

Rythmes du Khalam, Nouvelles Éditions Latines.

JEAN-JOSEPH RABEARIVELO

MADAGASCAR

Né en 1901 à Tananarive d'une famille appartenant à la société Merina, J.-J. Rabearivelo s'est donné la mort le 20 juin 1937 au terme d'une existence passionnée.

Autodidacte, fortement influencé par les grands écrivains qu'il s'était donné pour maîtres (Hugo, Beaudelaire, Claudel, etc.), Rabearivelo reste néanmoins très profondément enraciné dans la tradition malgache. Son lyrisme éclate en une poésie intimiste dans laquelle il tente de « fiancer » l'esprit de ses aïeux et les exigences de la prosodie française.

Œuvres principales :
- *Presque songes*, Paris, 1934.
- *Traduit de la nuit*, Tunis, éditions des Mirages, 1935.
- *Vieilles chansons des pays d'Imerina*, Tananarive, 1939.
- *L'Interférence* (Roman), suivi de *Un conte de la nuit* (Nouvelle), Hatier, Paris, 1987

Danses

Ce poème évoque la rencontre, à la faveur d'une danse traditionnelle, d'une toute jeune fille - la « femme-enfant » - et d'une vieille femme, au crépuscule de son existence.

Aux yeux du poète, cette rencontre en forme d'allégorie, symbolise la longue chaîne qui relie les vivants et les morts.

Chuchotement de trois *valiha*
son lointain d'un tambour en bois,
cinq violons pincés ensemble
et des flûtes bien perforées :
La femme-enfant avance avec cadence,
vêtue de bleu - double matin !
Elle a un lambe rose qui traîne,
et une rose sauvage dans les cheveux.

Est-ce une pousse d'herbe haute, est-ce un roseau
   qui s'agite à l'orée du bois ?
   Est-ce une hirondelle des jours calmes,
   ou une libellule bleue au bord du fleuve ?

La femme-enfant avance avec cadence
   muette soudain de bonheur.
   Elle écoute trois *valiha*, un tambour en bois,
   des violons et des flûtes.

Mais voici que ses lèvres tremblent,
   où surgissent des songes
   irrésistibles au point de devenir des plaintes,
   et même des chants après :

Et la vieille femme s'émeut aussi
   et vient prendre part à la danse :
   un pan de son pagne est dans la poussière,
   tout comme ses jours qui déclinent.

Ce ne sont ni plaintes, ni chants
   qui fleurissent son visage :
   des larmes l'imprègnent seules
   au souvenir de tous les morts...

Se souvenir... Comme une pleine lune
   près de chavirer et de n'être plus visible,
   voici le printemps qui s'effeuille
   et n'est plus qu'un tombeau de feuilles mortes...

Et les doigts se rencontrent :
   les doigts frêles de la femme-enfant,
   et les doigts inertes de la vieille femme,
   doigts pareillement translucides -

se rencontrent et forment comme une passerelle
   qui relie le crépuscule
   déjà éclos sur les collines
   avec le jour qu'annonce le coq.

Presque-songes, 1934.

Thrènes

I

Pour Esther Razanadrasoa

Toi qui es partie avec le jour
et qui es ainsi entrée dans une nuit à deux remparts,
les mots humains ne peuvent plus te rejoindre,
ni te couronner ces hampes florales
que sont devenus les bourgeons éclatant aux arbres
[d'Imerina
le matin même du jour où tu nous quittas ?

Une porte de pierre nous sépare :
une porte de vent divise nos vies.
Dors-tu sur la terre rouge où tu es couchée,
sur cette terre rouge où l'herbe elle-même ne pousse
[pas,
mais où il y a des fourmis aveugles qu'enivre
le vin des raisins noirs de tes yeux ?
Dors-tu, ou parles-tu avec nos amis
qui t'avaient devancée dans l'Inconnu ?
Que divine a dû être votre nouvelle rencontre
au bord du fleuve que nous n'avons pas encore passé !
Vous vous disiez des poèmes que nous n'entendrons
[plus,
les poèmes qui n'avaient pas fleuri vos lèvres vivantes...

Ici, les mêmes arbres nous entourent,
les mêmes hommes nous adressent la parole,
les mêmes hommes qui ne nous ont jamais compris
et devant lesquels nous avons plus d'une fois chanté
ensemble — mais pour nous-mêmes...

J'en suis excédé. Mais voici des pages encore blanches
qui dorment parmi tes manuscrits
et parmi les livres que tu nous a laissés.
Seul le deuil, seul le silence
y tracent des signes inutiles
et déposent, après, leur signature de néant ;

et c'est nous, qui les remplirons de chants
pour perpétuer ton souvenir,
toi dont la bouche est scellée sous la terre,
toi qui ne sens plus les fleurs pousser autour de toi,
toi qui es devenue un pur silence
et qui ne chanteras plus que par nos lèvres ?

Presque songes, 1934.

4. Chant de la renaissance et de la fraternité

Quelles que soient les rigueurs du passé, le poète africain se tourne vers l'avenir pour entonner le chant de la renaissance et de la fraternité. « Tisserand de songes », il prophétise un monde meilleur dans lequel les hommes, toutes races et conditions confondues, croqueront ensemble la noix de kola de l'amitié.

BERNARD B. DADIÉ

CÔTE-D'IVOIRE

Sur la route

Sur la route d'hier
d'aujourd'hui et de demain
nouveaux tisserands de songes,
   Nous voici rassemblés.

Chacun en nous se prolonge et se cherche.
De la savane à l'océan,
Chaîne de vie
Nous apportons des corbeilles de soleils
A ceux des champs, à ceux des villes.

Bouquets de rêves
Nouvel arc-en-ciel
Nous unissons les horizons, les couleurs, les hommes,
Nous écoutons dans le vent
la voix des autres continents
les murmures de toutes les vies.

Les peines à bout de bras
Et la joie dans nos cœurs
Tisserands de songes
Nous sommes des flambeaux
Sur la route de chacun et de tous.

Sur la route de Demain
Que nous voulons
plus beau
plus clair
plus uni
sorti des mains de toutes les couleurs
sorti du cœur de tous les continents,
Avec des rires de toutes les gammes
des compagnons sans crainte aux rêves très audacieux,
Sur la route de Demain,
La Route des Hommes
La Route des Frères
Sans autre fraternité que la fraternité de tous et pour tous
Sans autre chanson que la chanson de tous et pour tous
Sans autre joie que la joie de tous et pour tous...
Sur la route de Demain,
La Route des hommes nouveaux
Nous voici.

Hommes de tous les continents, op. cit.

MALICK FALL
SÉNÉGAL

L'Équipe

J'ai d'étranges amis
Un Juif, un Berbère, un Hottentot,
Un Arabe, un Indien, un Zoulou
Un métis de je ne sais qui
D'on ne sait où

Ils trouvent
Je ne sais comment
A s'entendre sur des mots graves
En s'esclaffant des rixes vaines
J'ai des amis étranges
N'est-ce pas ?

Reliefs, op. cit.

ÉTIENNE B. NOUMÉ
CAMEROUN

Épitomé

Longue
a été la nuit
ruisselante de glace
et gourd dans le brouillard
humide du matin,
l'oiselet de la plaine
ne peut bâtir son nid
attelé au martyr
d'un désir à vinaigre,

au goût de kola
-l'implacable désir
de vivre -
déploiera-t-il ses ailes
au soleil de midi ?

A quand l'éclosion
d'un jour limpide
à la conscience ?

Qui donnera aux mains la poésie
du mot
l'élan de la promesse ?

Qui dira à la langue
que le liquide épouse
la fantaisie du vase ?
que la patience n'a
ni les dimensions
du temps ni de l'espace ?
que le géant océan
cache au loin son rivage ?
Que la vie reprendra
le lendemain du seuil,
et que du creux béni
de la roche sourdra
la clarté de la Source
l'abondance de sève
pour donner
au délabrement des branches
dénudées,
aux membres rabougris
des saisons maladives
la musculature du Baobab.

Angoisse quotidienne, op. cit.

MAXIME N'DEBEKA

CONGO

J'ai rêvé

Une île dans l'océan de l'espoir
  Où l'arche de Noé
Où les survivants d'une longue et pénible lutte
Où mes rêves viennent échouer
Une île nette et pure
Où les hommes sont des humains
Et les Noirs des hommes
Où le Noir, le Rouge, le Blanc
S'épousent comme au crépuscule
Où il n'y a ni héritiers ni déshérités
Une île au large de l'espoir
Où l'on chante au lieu de se plaindre
Où l'on danse au lieu de guerroyer
Où l'on rit au lieu de pleurer
Une île idéal de l'esclavage

Où les cliquetis des cadenas
Ne sont plus que langue de l'eau sur les rochers
Où les grincements des chaînes que l'on traîne
Ne sont plus que murmure du vent dans les bambous
Une île meilleure que celles des Caraïbes
Où l'on ne parle ni des servitudes, ni de la liberté
Où l'on ne parle ni arabe, ni lingala, ni swahili
Où l'homme est maître
Où le temps n'est plus ce quelque chose
Qui nous glisse des mains
J'ai rêvé dans l'océan de l'espoir
Une île meilleure que celles des Caraïbes
Une île nette et pure
Comme le premier regard d'un enfant
J'ai rêvé de cette île...

Soleils neufs, Clé, Yaoundé.

PATRICE KAYO

CAMEROUN

Le grand collier

Sur la grande place ce soir
nous porterons
le collier unique
ceignant les hommes en farandole
la main noire dans la main jaune
la main blanche dans la main rouge.

Le kola d'amitié
s'esclaffera sous toutes les dents
comme une joyeuse source
au front d'une verte colline
la mère sera la mère
de tous les enfants
le père, le père de tous les enfants
l'enfant, le fils de tous les parents
et nous mangerons dans le même plat
ce pan de l'éternité
portant ensemble sur nos épaules
les abîmes d'hier
les montagnes de demain.

L'étoile
dans le ciel lacté de l'aube
tendra jusqu'à nous sa grappe
de profusion
avec dans sa tresse le message
un monde sans races
un monde tout à l'homme
libéré de l'œuf national.

Hymne et Sagesse, P.-J. Oswald.

En attendant l'aurore

La nuit étend encore son champ de larmes.
Nos yeux se lassent de guetter l'aurore,
et l'avenir, hésitant comme l'océan,
moutonne d'incessants frissons.

Le tunnel s'élance on dirait infini.
Et dès qu'on croit en entrevoir le bout,
on réalise que le chemin reste entier,
et qu'il est aussi long que le premier matin.

Pourtant nous marchons nuit et jour
sur ce chemin gorgé du sang de nos martyrs,
et des ronces qui lacèrent nos chairs,
nous tissons des bouquets d'espérance.

Vers la grande cité fraternelle,
comme un torrent que rien n'arrête,
enjambant les murs de renaissantes tyrannies,
nous marchons, pionniers des jours nouveaux.

En attendant l'aurore, Clé, Yaoundé, 1988.

LÉOPOLD SÉDAR SENGHOR

SÉNÉGAL

Publié en 1956, le recueil *Éthiopiques* appartient à la seconde vague des œuvres poétiques de Léopold Sédar Senghor. Élu député du Sénégal en 1950, le poète est en effet désormais engagé dans une carrière politique qui le conduira bientôt à la présidence de son pays, en 1960.

C'est donc un homme assuré du destin de l'Afrique qui parle ici, même si la contradiction entre le rêve et l'action ne se laisse pas toujours aisément réduire. A l'Occident, Senghor est maintenant en mesure d'opposer les certitudes d'une Afrique ancestrale, forte de sa sagesse traditionnelle et de sa maîtrise du Verbe.

A New York

III

New York ! je dis New York, laisse affluer le sang noir
[dans ton sang
Qu'il dérouille tes articulations d'acier, comme une
[huile de vie
Qu'il donne à tes ponts la courbe des croupes et la
[souplesse des lianes.
Voici revenir les temps très anciens, l'unité retrouvée la
[réconciliation du Lion, du Taureau et de l'Arbre
L'idée liée à l'acte l'oreille au cœur le signe au sens.
Voilà tes fleuves bruissants de caïmans musqués et de
lamantins aux yeux de mirages. Et nul besoin
[d'inventer les Sirènes.
Mais il suffit d'ouvrir les yeux à l'arc-en-ciel d'Avril
Et les oreilles, surtout les oreilles à Dieu qui d'un rire
[de saxophone créa le ciel et la terre en six jours.
Et le septième jour, il dormit du grand sommeil nègre.

Éthiopiques, op. cit.

JEAN-MARIE ADIAFFI
CÔTE-D'IVOIRE

Étranger

Dans l'œuvre littéraire de Jean-Marie Adiaffi, la poésie fait écho au roman. Ainsi, à la Carte d'Identité, son premier roman, répond un premier recueil poétique, D'Éclairs et de foudres. Violente, éruptive, parfois déroutante, la poésie d'Adiaffi est à l'image de son auteur, passionnée, généreuse, excessive à l'occasion, toujours fraternelle.

On sait que ce mot n'est pas africain. Il y est aussi
impossible qu'impossible n'est pas français
puisque tu es chez toi chez moi
et moi chez moi chez toi
chacun est chez lui partout sur la TERRE africaine...
chacun est chez lui partout sous le CIEL africain
personne n'est nulle part tout le monde est partout
Aucune pancarte ne jette sur le voisin le soupçon de vol
« Défense d'entrer chien méchant »
La formule poétique étant « Défense d'entrer Homme
[enragé »

Vaccinez-vous contre l'homme
Frères de sang l'homme est ma demeure dernière
contre la Terre au Ciel et le Ciel à la Terre. L'homme
est mon dernier repos mon dernier sommeil. L'homme
est ma mort et ma naissance... L'homme est mon
cimetière ma douleur mes larmes... Je t'invite donc
homme frère de sang à un voyage qui ne mène nulle
part sinon au cœur d'un homme malade de l'homme.
Vois, l'ambition n'est pas démesurée. Modeste bien
modeste est mon vœu. Il ne relève d'aucune
pérégrination qui mène au pays fastueux de légendes au
pays qui comble tous les rêves lointains qui caresse
toutes les illusions qui flatte la passion des grandes
explorations des espaces arides.

D'Éclairs et de foudres, Ceda, 1980.

FATHO AMOY
CÔTE-D'IVOIRE

Fatho-Amoy, qui est né en 1936, enseigne actuellement à l'Université d'Abidjan. On lui doit deux recueils poétiques d'une rare qualité d'inspiration, *Mon beau pays d'ivoire* (1967) et surtout *Chaque aurore est une chance* (Ceda, 1980).

Avis

Voyageurs du soir qui suivez la rumeur
Des vagues et l'étoile bleue des baies,
Gardez-vous de trop songer à vos songes
Et d'héberger pour longtemps les chagrins
Qui saccagèrent votre vie passée.
Il est au bout de la nuit une terre tout ensemble
Proche et lointaine que le jour naissant
Exalte d'hirondelles et de senteurs de goyave.
Un pays à portée de cœur et de sourire
Où le désir de vivre et le bonheur d'aimer
Brûlent du même vert ardent que les filaos.
Craignez de le traverser à votre insu :
Les saisons sur vos talons brouillent le paysage ;
Mais chaque pas est la chance d'un rêve.

Chaque aurore est une chance, Ceda, 1980.

CLAUDE-JOSEPH
M'BAFOU-ZETEBEG

Né en 1948 à Dschang, au Cameroun.
Successivement étudiant à la faculté de Droit de Yaoundé, à l'École Nationale d'Administration du Cameroun, puis à l'Institut International d'Administration Publique de Paris, il est actuellement administrateur civil.

M'Bafou a publié des poèmes dans un certain nombre de revues (Présence Africaine, Abbia, Tam-tam, etc.) La *Couronne d'épines* est son premier recueil publié ; la plupart de son œuvre est encore inédite, tant en ce qui concerne son théâtre *(Dieu est blanc, la Femme du Millionnaire)* que sa poésie *(Ordalies, Aux Martyrs, Nuages de poudre, Énigmes, Sortilèges).*

L'Oiseau en liberté

L'oiseau qui passe là-bas,
L'oiseau léger
Qui bat des ailes
Et fend l'air là-bas à l'horizon,
N'a rien à lui au monde,
Mais comme il est joli
En liberté !

Et c'est en chantant
Qu'il vit sur la branche,
Le bel oiseau voyageur
Qui rythme les saisons.

Car rien ne vaut la liberté :
C'est la plus digne
De toutes les fortunes,
La liberté dont jouit l'oiseau
Qui vit sur la branche !

La liberté au feu sacré,
La liberté naturelle,
O la sainte liberté
Dont devrait jouir
Tout être
Dans sa facture naïve !

Paroles et semences.

172

Index des auteurs

- KAFANDO, Théodore ; Inédit.

- KOTCHY-NGUESSAN, Barthélémy ; *L'olifant noir*, Ceda.

- MAUNICK, Édouard ; *Les manèges de la mer*, Présence Africaine.

- M'BAFOU-ZETEBEG, Claude-Joseph ; *L'oiseau en liberté*.

- MBUYSENI MISALI, Oswald ; *L'aube d'un jour nouveau*, Silex.

- MIEZAN BOGNINI, Michel ; *Ce dur appel de l'espoir*, Présence Africaine.

- NDAO, Cheikh Aliou, *Kairée*, Grenoble, Imp. Eymond.

- NDEBEKA, maxime ; *L'Oseille/Les citrons*, P.-J. Oswald.

- NGANDE, Charles ; *Neuf poètes camerounais*, Clé.

- NOUME, Étienne ; *Angoisse quotidienne*, le Flambeau, Yaoundé.

- OBENGA, Théophile ; *Stèles pour l'avenir*, Présence Africaine.

- PACERE-TITINGA, Frédéric ; *Refrains sous le Sahel*, P.-J. Oswald.

- PHILOMBE, René ; *Neuf poètes camerounais*, Clé.

- PORQUET, Niangoranh ; *Mariam et griopoèmes*, P.-J. Oswald.

- RABEARIVELO J. Joseph ; *Presque-songes, Traduit de la nuit*, Éd. des Mirages.

- RABEMANANJARA, Jacques ; *Antsa*, Présence Africaine.

- SENGAT-KUO, François ; *Fleurs de latérite*, Clé, *Collier de cauris*, Présence Africaine.

- SENGHOR, Léopold-Sedar ; *Chants d'ombre, Éthiopiques, Hosties noires*, Seuil.

- SIHKE, Camara ; *Poèmes de combat et de vérité*, P.-J. Oswald.

- SOCE-DIOP, Ousmane ; *Rythmes du Khalam*, Nouvelles Éditions Latines.

- SOYINKA, Wole ; *Cycles sombres*, Silex.

- TADJO, Véronique ; *Latérite*, Hatier.

- TATI LOUTARD, J.-Baptiste ; *La tradition du songe*, Présence Africaine. Poèmes de la mer, Clé. *Les racines congolaises*, P.-J. Oswald.
- TCHICAYA U TAM'SI, Gérald ; *Épitome*, P.-J. Oswald.
- TIEMELE, J.-Baptiste ; *Chansons païennes*, P.-J. Oswald.
- WADE, Amadou-Moustapha ; *Présence*, Présence Africaine.
- ZADI-ZAOUROU, Bernard ; *Fer de lance*, P.-J. Oswald.

Complément bibliographique

Ouvrages généraux

- CHEVRIER, Jacques ; *Littérature nègre*, A. Colin, 1984 (en particulier p. 53 à 96).
- CHEVRIER, Jacques ; *L'arbre à palabres*, Hatier, 1986 (pour la poésie traditionnelle).
- CORNEVIN, Robert ; *Littératures d'Afrique Noire de langue française*, Paris, P.U.F., 1976.
- GASSAMA, Makhily ; *Kuma, Interrogation sur la littérature nègre de langue française*, Dakar, NEA, 1978.
- JOUBERT, Jean-Louis, *Les Littératures francophones depuis 1945*, J. Lecarme, E. Tabone, B. Vercier, Paris, Bordas, 1986.
- KESTELOOT, Lilyan ; *Les écrivains noirs de langue française : naissance d'une littérature*, Éditions de l'Institut de Sociologie, Bruxelles, U.L.B. 1963.
- KESTELOOT, Lilyan ; *Anthologie négro-africaine*, Verviers, Gérard et Cie, Marabout Université, 1967.
- KIMONI, Iyayi ; *Destin de la littérature négro-africaine ou problématique d'une culture*, Sherbrooke, Naaman, 1975, Kinshasa, Presses Universitaires du Zaïre, 1975.
- MAKOUTA-MBOUKOU, Jean-Pierre ; *Introduction à la littérature noire*, Yaoundé, Clé, 1970.
- MATESO, Locha ; *La littérature africaine et sa critique*, Karthala, 1986.

- MOURALIS, Bernard ; *Littérature et développement*, Paris, Silex/ACCT, 1984.

- NGAL, Georges, Mbwil a Mpang ; *Tendances actuelles de la littérature africaine d'expression française*, Kinshasa, Éditions du Mont Noir, 1972.

- NGANDU-NKASHAMA, Pius ; *Littératures africaines*, Silex, 1984.

- ROUCH, Alain, CLAVREUIL Gérard, *Littératures nationales d'écriture française*, Paris, Bordas, 1986.

Études

- *Césaire 70* (Ngal et Steins) ; Silex, 1984.

- *Aimé Césaire, ou l'athanor d'un alchimiste* ; (collectif) Éditions Caribéennes 1987.

- JOUANNY, Robert ; *Les voies du lyrisme dans les poèmes de L. S. Senghor* ; Champion, 1986.

- KESTELOOT, Lilyan ; *Comprendre les poèmes de Senghor*, Les classiques africains, 1986.

- KESTELOOT, Lilyan et KOTCHY, Barthélémy ; *A Césaire, l'homme et l'œuvre*, Présence Africaine, 1973.

- N'DIAYE, Papa Gueye ; *Étude critique d'Éthiopiques*, de L. S. Senghor, Dakar, NEA, 1974.

- RACINE, David ; *Léon-Gontran DAMAS, l'homme et l'œuvre*, Présence Africaine, 1983.

- TILLOT, Renée ; *Le rythme dans la poésie de Léopold Senghor*, Dakar, NEA, 1979

Ateliers Bussière Camedan Imprimeries
à Saint-Amand (Cher), France.
Dépôt légal : mars 1996. N° d'édit. : 15264. N° d'imp. : 1/615.